강력한 서울시립대
자연계 수리논술
기출문제

저자 소개

저자 김근현은 현재 탁트인 교육, 일으킨 바람, 에듀코어 대표이다.
前 메가스터디 온라인에서 대입 논술과 면접, 자기소개서, 학생부종합 등 다양한 동영상 강의를 하였다.
현재는 학습 프로그램 개발 및 연구 활동을 통해 교육의 발전을 고민하고 있다.
홍익대학교에서 전자전기공학부를 졸업하고 동대학원에서 전자공학 석사(반도체 레이저)를 전공하였다. 또한 연세대학교 교육경영최고위자 과정을 마쳤으며 연세대학교 교육대학원에서 평생교육 경영을 공부하고 있다.

강력한 서울시립대 자연계 수리논술 기출 문제

발   행 | 2024년 05월31일
저   자 | 김근현
펴낸이 | 김근현
펴낸곳 | 일으킨 바람
출판사등록 | 2018.11.12.(제2018-000186호)
주   소 | 경기도 고양시 일산서구 하이파크 3로 61 409동 1503호
전   화 | 031-713-7925
이메일 | illeukinbaram@gmail.com

ISBN | 979-11-93208-51-9

www.iluekinbaram.com

강력한 서울시립대

자연계 수리논술

기출문제

김 근 현 지음

차례

I. 서울시립대학교 논술 전형 분석

1. 논술 전형 분석

1) 전형 요소별 반영 비율

전형요소	논술	학생부교과	총합
논술고사	70%	30%	100%
환산점수	700점	300점	1000점

2) 학생부 교과 반영

30%

(ㄱ)　반영교과 및 반영비율
- 전학년 전교과의 석차등급 반영
- 원점수, 평균, 표준편차, 석차등급이 모두 기재된 교과만 반영
- 성적이 석차등급으로 산출되지 않은 과목은 미반영

대　상	인정범위
졸업자	1학년　1학기　～　3학년　2학기
졸업예정자	1학년　1학기　～　3학년　1학기

(ㄴ)　교과성적 산출방법

구분	등급	1등급	2등급	3등급	4등급	5등급	6등급	7등급	8등급	9등급
반영점수		100	99	98	97	96	90	80	70	0

(ㄷ)　변환 점수 평균

$$교과성적 환산점수 = \frac{\sum(반영 교과목 석차 등급 반영점수 \times 이수단위)}{\sum(반영 과목 이수단위)} \times 3$$

3) 수능 최저학력 기준

없음

4) 논술 전형 결과

(ㄱ)   2023학년도 논술 전형 결과

계열	모집단위	논술전형		
		논술점수 (700점 만점)	학생부점수 (300점 만점)	학생부등급
자연	전자전기컴퓨터공학부	556.87	285.31	4.06
자연	화학공학과	-	-	-
자연	기계정보공학과	499.04	288.47	3.88
자연	신소재공학과	618.33	292.75	3.17
자연	토목공학과	438.38	282.83	4.57
자연	컴퓨터과학부	553.77	283.01	4.02
자연	인공지능학과	-	-	-
자연	수학과	499.84	279.62	4.44
자연	통계학과	-	-	-
자연	물리학과	362.03	278.50	4.59
자연	생명과학과	341.25	283.03	4.35
자연	환경원예학과	-	-	-
자연	융합응용화학과	-	-	-
자연	건축학부(건축공학전공)	393.23	287.49	3.66
자연	건축학부(건축학전공)	-	-	-
자연	도시공학과	-	-	-
자연	교통공학과	342.71	293.30	3.16
자연	조경학과	-	-	-
자연	환경공학부	412.56	285.18	4.11
자연	공간정보공학과	434.22	291.98	3.38
자연계열		**476.62**	**285.04**	**4.04**

(ㄴ)   2022학년도 논술 전형 결과

계열	모집단위	논술전형		
		논술점수 (700점 만점)	학생부점수 (300점 만점)	학생부등급
자연	전자전기컴퓨터공학부	559.36	289.65	3.77
자연	화학공학과	-	-	-
자연	기계정보공학과	514.50	279.45	4.92
자연	신소재공학과	514.50	290.77	3.67
자연	토목공학과	447.13	284.74	4.20
자연	컴퓨터과학부	556.39	286.11	3.88
자연	인공지능학과	-	-	-
자연	수학과	591.60	290.48	3.41
자연	통계학과	-	-	-
자연	물리학과	535.94	281.60	3.95
자연	생명과학과	519.53	293.55	3.14
자연	환경원예학과	-	-	-
자연	융합응용화학과	-	-	-
자연	건축학부(건축공학전공)	568.75	287.07	4.18
자연	건축학부(건축학전공)	-	-	-
자연	도시공학과	-	-	-
자연	교통공학과	562.92	273.82	5.16
자연	조경학과	-	-	-
자연	환경공학부	540.31	286.34	3.99
자연	공간정보공학과	553.44	291.65	3.51
자연계열		**546.72**	**287.38**	**3.87**

(ㄷ)   2021학년도 논술 전형 결과

계열	모집단위	논술전형		학생부등급
		논술점수 (600점 만점)	학생부점수 (400점 만점)	
자연	전자전기컴퓨터공학부	416.45	383.86	3.88
자연	화학공학과	-	-	-
자연	기계정보공학과	403.75	382.80	3.83
자연	신소재공학과	370.00	388.85	3.52
자연	토목공학과	360.00	390.37	3.26
자연	컴퓨터과학부	410.16	387.43	3.50
자연	수학과	400.35	387.97	3.40
자연	통계학과	-	-	-
자연	물리학과	376.88	389.89	3.37
자연	생명과학과	332.50	375.85	3.74
자연	환경원예학과	256.88	392.31	2.97
자연	건축학부(건축공학전공)	372.75	375.89	4.60
자연	건축학부(건축학전공)	-	-	-
자연	도시공학과	-	-	-
자연	교통공학과	358.75	389.98	3.48
자연	조경학과	-	-	-
자연	환경공학부	334.88	384.98	3.92
자연	공간정보공학과	317.81	387.77	3.54
자연계열		**378.45**	**385.59**	**3.69**

1) 논술, 학생부교과, 정원외 특별전형 : 최종 합격자의 평균 점수임(1,000점 만점).
2) 학생부 등급의 경우, 최종 등록자의 학생부 전 교과 등급 평균임

2. 논술 분석

구분	자연계열
출제 근거	고교 교육과정 내 출제
출제 범위	수학 교과의 고등학교 교육과정 범위 내 (수학, 수학Ⅰ, 수학Ⅱ, 확률과 통계, 미적분, 기하)
논술유형	자연계 수리논술
문항 수	4문항
답안지 형식	각 문항별 공란 (백지 연습장형)
고사 시간	120분

1) 출제 구분 : 계열 구분

2) 출제 유형 :

1) 고등학교 수학 교육과정 내에서 핵심개념 및 용어에 대한 이해 수준과 그 구체적인 적용 능력을 평가
2) 문항에 대한 이해 및 논리적 풀이 과정 평가
   (※ 풀이과정의 완성도에 따라 차등 배점)

3) 출제 및 평가내용 :

3. 출제 문항 수

구분	자연계
문항수	4문항

4. 시험 시간
· **120분**

5. 논술 유의사항
1) 답안 작성 시 유의 사항

1. 답안 작성 시 제목은 달지 말 것.
2. 수험번호, 성명 등 자신의 신상과 관련된 사항을 답안에 드러낼 경우 부정행위로 간주함.
3. 답안 작성 시 필기구는 흑색 펜 샤프 또는 연필을 사용할 것 (청색, 적색 펜 등 사용 불가)
다만, 수험번호와 주민등록번호 앞자리 마킹은 컴퓨터용 사인펜을 사용할 것.
4. 문제지와 답안지의 문제 번호가 일치하는지 반드시 확인할 것. (불일치시 0점 처리)

5. 각 문항별 답안 작성 구역 안의 내용만 평가함.

6. 답안 수정은 지우개를 사용하거나 두 줄로 긋고 새로 작성하여야 함. (수정테이프는 사용할 수 없음)

5. 각 문항별 답안 작성 구역 안의 내용만 평가함.

6. 답안 수정은 지우개를 사용하거나 두 줄로 긋고 새로 작성하여야 함. (수정테이프는 사용할 수 없음)

II. 기출문제 분석

1. 출제 경향

학년도	교과목	질문 및 주제
2024학년도 수시 논술	수학Ⅱ, 기하	연속함수의 성질의 활용, 평면벡터의 내적
	확률과 통계	중복조합
	수학Ⅰ,수학Ⅱ	등차수열 함수의 극한
	미적분	수열의 극한값의 계산, 정적분과 급수
2023학년도 수시 논술 자연 Ⅰ	확률과 통계	중복조합, 조건부 확률
	미적분	적분법
	수학Ⅰ	수열
	기하, 수학Ⅰ	타원, 쌍곡선, 초점
2023학년도 수시 논술 자연 Ⅱ	수학Ⅱ	미분계수 도함수
	수학Ⅰ	삼각함수
	수학	합의 법칙 조합
	수학Ⅱ, 미적분	정적분의 성질 여러 가지 적분법
2022년도 수시 논술 자연 Ⅰ	수학Ⅱ	함수의 최댓값
	확률과 통계	조건부확률
	미적분	정적분
	수학Ⅰ	수학적 귀납법
2022년도 수시 논술 자연 Ⅱ	확률과 통계	중복순열
	수학Ⅱ	사잇값 정리
	수학Ⅰ	수열
	미적분	함수의 최댓값과 최솟값
2021학년도 수시 논술 자연 Ⅰ	확률과통계	조건부 확률
	미적분	삼각함수의 적분
	수학Ⅱ, 미적분	미분계수, 여러 가지 함수의 미분법
	수학Ⅰ	등차수열, 삼각함수
2021학년도 수시 논술 자연 Ⅱ	수학Ⅱ	접선,도형의넓이
	수학	경우의수,조합
	수학Ⅱ	접선, 수직, 최솟값
	수학Ⅰ	등비수열

2. 출제 의도

학년도	출제의도
2024학년도 수시 논술	두 다항함수의 교점으로 정의된 평면벡터의 내적을 이해하고 연속함수의 성질인 사잇값 정리를 활용해서 내적 값의 정수 부분을 계산할 수 있는지 평가하는 문제이다.
	중복조합을 이해하고 이를 실생활 문제의 해결에 적용하는 능력을 평가하고자 한다. (a) 구하는 경우의 수와 같은 개수의 음이 아닌 정수해를 갖은 방정식을 찾을 수 있으며, 이 식의 해의 개수를 중복조합을 이용하여 구할 수 있는지를 평가하는 문제이다. (b) 주어진 문제를 경우를 나누어 여러 개의 단순한 문제들로 바꾼 후, 중복조합을 적용하여 구하는 경우의 수를 구할 수 있는지를 평가하는 문제이다.
	함수의 극한을 활용하여 주어진 조건을 만족시키는 순서쌍의 개수를 수열로 나타내고 등차수열의 첫째항부터 제 n항까지의 합을 구할 수 있는지 평가하는 문제이다.
	수열의 극한에 대한 기본적인 성질을 이해하고, 정적분과 급수의 합 사이의 관계를 이용하여 극한값을 구할 수 있는지를 평가하고자 한다. (a) 도착시간을 급수로 나타내고, 구하는 극한값을 정적분과 급수의 합 사이의 관계를 이용하여 구할 수 있는지를 평가하는 문항이다. (b) 움직인 거리의 차를 수렴하는 수열들의 합과 곱으로 나타내어 극한값을 구할 수 있는 능력이 있는지를 평가하는 문항이다.
2023학년도 수시 논술 자연 Ⅰ	중복조합과 조건부확률을 이해하고, 구체적인 상황에 적용하는 능력을 평가한다. 구체적으로 (a)는 중복조합을 상황에 맞게 적용하는 능력과 (b)는 조건부확률을 적용하는 능력을 평가한다.
	적분 구간을 적절하게 나누고 역함수의 성질과 여러 가지 적분법을 활용하여 주어진 함수의 정적분을 계산하는 능력을 평가하는 문제이다.
	주어진 조건을 로그의 성질을 이용해서 간단히 정리하고 등비수열의 합을 이용해서 조건을 만족시키는 순서쌍의 개수를 계산하는 능력을 평가하는 문제이다.
	타원 위의 점과 두 초점 사이의 거리 관계, 쌍곡선 위의 점과 두 초점 사이의 거리 관계를 잘 이해하고 있는지를 평가하는 문항이다. (a) 타원과 쌍곡선 위의 점과 두 초점 사이의 거리의 비를 하나의 문자로 표현하고 함수의 미분을 이용하여 범위를 구할 수 있는지를 평가하는 문항이다.

학년도	출제의도
	(b) 코사인법칙을 활용하여 방정식을 만들고 해를 구할 수 있는지를 평가하는 문항이다.
2023학년도 수시 논술 자연 Ⅱ	다항함수의 접선을 구하고 이를 활용하는 능력과 방정식의 실근의 개수를 구하는 능력을 평가한다.
	sin을 이용하여 삼각형의 면적을 구하고 이차함수의 최대, 최소를 구하는 능력을 평가한다.
	합의 법칙을 적용하여 경우의 수를 체계적으로 구하는 능력과 실생활의 문제에서 조합을 적용하는 능력을 평가한다.
	도함수와 정적분을 활용해 부등식을 증명하는 능력을 평가한다.
2022학년도 수시 논술 자연 Ⅰ	꼭짓점이 곡선에 있는 다각형의 넓이를 구하고, 다항함수의 미분법을 이용하여 넓이의 최댓값을 구하는 능력을 평가한다.
	독립시행의 확률과 조건부확률을 이해하고, 구체적인 상황에 적용하는 능력을 평가한다.
	적분 구간을 적절하게 나누어 삼각함수의 정적분을 계산하는 능력을 평가한다.
	수열의 귀납적 정의를 이해하고, 수열과 관계된 성질을 파악하는 능력과 수학적 귀납법을 이용하여 간단한 명제를 증명하는 능력을 평가한다.
2022학년도 수시 논술 자연 Ⅱ	실생활 문제를 중복조합을 적용하여 해결할 수 있는 능력을 평가한다.
	두 함수의 교점을 구하는 방법에 대한 이해와 사잇값 정리를 이용하여 방정식의 근의 범위를 구하는 능력을 평가한다.
	주어진 조건을 만족시키는 순서쌍의 개수를 구하고, 수열의 합의 성질을 이용해서 문제를 해결하는 능력을 평가한다.
	여러 가지 함수의 미분법을 이용하여 최댓값을 구하는 능력을 평가한다.
2021학년도 수시 논술 자연 Ⅰ	확률의 덧셈정리와 조건부확률을 이해하고 이를 이용하여, 주어진 사건이 발생할 확률을 계산하는 능력을 평가한다
	정적분 계산능력과 삼각함수 덧셈정리를 이해하고 구체적인 문제에 적용하는 적용 능력을 평가한다.
	사각형과 원에 대한 이해를 바탕으로 구체적인 함수를 유도하고 이 함수의 미분가능성을 확인하는 능력을 평가한다.
	사인(sin)함수를 해석하고 등차수열의 이해 수준과 그 구체적인 적용 능력을 평가하고자 한다.

학년도	출제의도
2021학년도 수시 논술 자연 Ⅱ	곡선과 직선이 접할 때 접점의 좌표를 구하고, 정적분을 활용하여 곡선과 직선으로 둘러싸인 도형의 넓이를 구하는 능력을 평가한다.
	조합을 이해하고 이를 적용하여, 주어진 성질을 만족하는 경우의 수를 구하는 능력을 평가한다.
	곡선과 곡선 밖의 한 점의 거리가 최소가 되는 조건에 대한 정리를 증명할 수 있는지 평가한다. 이를 이용해 곡선과 곡선 사이의 최단 거리를 구할 수 있는지 평가한다.
	이차함수의 그래프와 직선의 교점을 개수를 이해와 등비수열의 이해 수준과 그 구체적인 적용 능력을 평가한다.

III. 논술이란?

1. 논술이란?

1) 논술이란?

어떤 문제에 대해 자기 나름의 주장이나 견해를 내세운 다음, 여러 가지 근거를 제시하여 그 주장이나 견해가 옳음을 증명하는 글쓰기 활동을 말한다. 따라서 논술의 가장 기본적인 요소는 주장과 근거이다. 다시 말해 어떤 주제에 관해서 자신의 견해를 밝히고 자기 의견을 내세우는 글이 바로 논술이다. 때문에 논술은 특별히 논리적이어야 한다는 요구를 받게 된다. 왜냐하면 여러 가지 의견이 있을 수 있는 문제에 대해 자신의 의견을 세워 다른 사람을 설득하려면, 그 주장이 충분한 근거 위에서 논리적으로 개진될 때만 가능하기 때문이다.

2) 대한민국 논술고사는?

한국에서의 대학 입시 논술고사는 실제 교과 과정과 교과서가 기본이 되어 응용된 사고와 풀이 능력과 지식을 바탕으로 한다. 논술고사는 일반적을 비판적으로 글을 읽는 능력과 창의적으로 문제를 설정하고 해결하는 능력 그리고 논리적으로 서술하는 능력을 종합적으로 평가하는 시험이다. 비판적으로 글을 읽는다는 것은 능동적으로 자신의 관점에서 글을 읽는 것을 말하며, 창의적으로 문제를 설정하고 해결하는 능력이란 심층적이고 다각적으로 논제에 접근함으로써 독창적인 사고와 풀이를 이끌어낼 수 있는 능력을 말한다. 그리고 논리적 서술 능력은 글 구성 능력, 근거 설정 능력, 표현 능력 등을 포괄한다.

3) 자연계 논술? 그리고 그 변화

모든 글은 일반적으로 3가지 종류로 나뉘어진다. 시, 소설 등 문학 작품과 같은 글쓰기인 창작적 글쓰기(creative writing)와 설명문이나 해설문의 글쓰기는 해명적 글쓰기(expository writing), 그리고 논설문의 글쓰기인 비판적 글쓰기(critical writing)가 있다. 이 글쓰기 중 대한민국의 대학입시에서 시행되고 있는 자연계 논술은 창작적 글쓰기는 포함되지 않는다. 새로운 문학 작품을 쓰는게 아니라 제시문을 읽고 내용을 구체화시켜 잘 설명하는 설명문의 형태가 있고, 주어진 문제에 대해 생각하고 깊이있는 주장을 피력하는 비판적 글쓰기도 있다.

2. 논술의 기본 용어

1) 논제 : 논술의 문제를 의미한다.

반드시 해결하고 접근하여야 할 논술 시험의 대상이다.

  (ㄱ)   중심 논제 : 채점할 때 가장 배점이 높으며, 핵심적으로 해결해야 할 논술의 문제

  (ㄴ)   세부 논제 : 큰 논제 속에 포함된 작은 문제, 각 단계별 채점의 기준이 되며 세부 채점 항목으로 필수 해결 항목이다.

2) 논거 : 논술에서 설명하고 주장하는 논리적인 근거 혹은 이유

3) 주장 : 수험생이 생각하고 채점자에게 알리고 싶은 생각

4) 제시문 : 보기 지문을 말한다.

(ㄱ) 출제자가 논제 해결을 위해 보여주는 다양한 글

(ㄴ) 각종 그래프, 도표, 그림 등

자료가 정해져 있지는 않다. 하지만 고등학교 교과서를 가장 많이 인용하고, 고등학교 교과 과정으로 분석하고 판단할 수 있는 내용을 제시한다.

5) 개요 : 논제에 맞게 더 구체적으로는 세부 논제에 맞게 글의 진행 방향을 간략하게 정리하는 과정이다.

3. 논술의 명령어

논술고사 후 대학의 발표 자료를 보면 논술은 출제자의 의도에 부합하게 글을 써야 한다고 강조한다. 그런데 출제자의 의도를 파악하는 것은 자칫 상당히 모호하고 주관적인 것으로 판단하기 쉽다.

하지만 자연계 논술에서는 명령어가 한정되어 있다. 그 명령어들을 잘 익히고 의미를 파악한다면 훨씬 논술의 이해가 높아질 것이다. 또한 대학의 채점 기준에는 명령어의 요구 조건을 충족하는지를 평가한다. 그러므로 자연계 논술의 명령어는 수험생에게는 아주 기초적이지만 필수적이며 절대 잊지 말아야 할 중요한 핵심이다.

1) ~ 에 대해 논술하시오.

; 주장을 밝히고 근거를 제시한다.

2) ~ 에 대해 설명하시오.

: 사실, 주장 등을 쉽게 풀어서 밝힌다.

- ● ~ 제시문 간의 관련성을 설명하시오.
- ● ~ 제시문의 논리적 타당성과 문제점을 설명하시오.
- ● ~ 제시문을 참고하여 주어진 자료의 특징을 설명하시오.
- ● ~ 제시문의 관점에서 왜 그런 현상이 생기는지 그 이유를 설명하시오.

3) ~ 의 비교하시오. 혹은 대조하시오.

: 공통점과 차이점을 중심으로 설명한다.

- ● ~ 공통점과 차이점을 설명하시오.

4) ~ 을 분석하시오.

: 주제를 구성요소로 나누고 각 부분의 의미와 상호관계를 밝힌다.

5) ~ 제시문과 주어진 자료를 참고하여 현상을 예측해 보시오.

: 주어진 자료를 해석하고 자료로부터 얻을 수 있는 시간에 따른 변화나 자료의 발생 이유를 살핀다.

6) ~ 제시문의 문제점을 지적하고 그 문제점을 해결할 방법을 제시하시오.

: 보통은 수학이나 과학의 역사에서 발생했던 여러 오류나 실험과정에서 나타난 문

제점을 가지고 있다. 또한 이론이나 실험, 학생의 실험보고서 등과 같이 확실한 오류가 있는 제시문을 주기도 한다. 분명히 문제점을 파악하여 답안에 서술하고 문제점이나 해결할 수 있는 방법 등을 명확히 하여야 한다.

> ● ~ 제시문의 관점에서 왜 그런 현상이 생기는지 그 원리를 설명하고 그런 현상을 예방할 수 있는 방안을 제시하시오.
> ● ~ 문제점을 지적하고 합리적 대안을 제안해 보시오.
> ● ~ 주어진 관점을 검증할 수 있는 방법을 논하시오.
> ● ~ 주어진 문제점을 해결할 수 있는 실험을 설계해 보시오.

7) 제시문의 관점에서 주장을 비판하시오.

: 어떤 주장의 타당성이나 가치 등을 평가한다.

4. 자연계 논술 글쓰기 유의사항

① 논제의 해결이 핵심이다. 출제자가 원하는 답을 써야 한다.

② 논제에 부합하는 글을 일관성 있게 써야 한다.

③ 한편의 글을 완성하여야 한다. 나열하거나 사례를 보여주는 것은 의미가 없다.

④ 제시문을 활용, 인용하는 것과 제시문을 그대로 옮겨 쓰는 것은 다르다. 적절하게 제시문의 내용을 사용하여 논제를 해결하여야 한다. 절대 제시문의 문장을 그대로 쓰면 안 된다. 금기사항이고 감점요인이다.

⑤ 부적절한 문장 즉, 비문을 만들지 말아야 한다. 주어와 서술어가 적절하게 있어 문장의 의미를 명확히 전달하여야 한다. 주어를 생략하거나 지시어를 과도하게 사용하면 문장의 의미가 모호해 진다.

⑥ 문장은 짧고 간결하게 써야 한다. 자신의 의견을 명확히 간결하고 효과적으로 밝혀야 한다.

5. 논술 확인 사항

1. 답안지는 지급된 흑색 볼펜으로 원고지 사용법에 따라 작성하여야 합니다.
(수정액 및 수정테이프 사용 금지)

2. 수험번호와 생년월일을 숫자로 쓰고 컴퓨터용 사인펜으로 ● 표기하여야 합니다.

3. 답안의 작성 영역을 벗어나지 않도록 각별히 유의 바라며, 인적사항 및 답안과
. 관계없는 표기를 하는 경우 결격 처리 될 수 있습니다.

4. 제시된 작성 분량 미 준수 시 감점 처리됨을 유의 바랍니다.

Ⅳ. 자연계 논술 실전

1. 각 대학별 논술 유의사항을 파악하라!

　　많은 대학에서 글자수 제한을 확인하여야 한다. 그래서 원고지 형이 많지만, 문항별 칸을 만들거나 밑줄 답안 형식도 있다. 논술 시험 시간은 각 대학별로 다양하다. 60분 즉, 한 시간을 시작으로 많게는 2시간까지 (120분)까지 다양하게 있다. 대학별로 준비해야 하는 중요한 이유이다. 답안을 작성하는 필기구도 다양하다. 연필(샤프펜)의 사용이 꾸준히 증가하지만 아직까지 검정색 볼펜이나 청색 볼펜으로 사용하는 학교도 많다. 주의할 것은 수정법이다. 수정은 학교에 따라 수정액, 수정테이프의 사용을 제한하는 경우도 있고 틀리면 두줄을 긋고 써야 하는 곳도 있다. 그러므로 각 대학별 특징을 파악하고, 미리 답안 작성 연습은 물론이고 작성할 때도 대학별로 금지하는 내용을 숙지하고 시험장에 가야 한다.

각 대학별 유의사항 사례

사례 1)

가. 답안은 한글로 작성하되, 글자수 제한은 없다.

나. 제목은 쓰지 말고 특별한 표시를 하지 말아야 한다.

다. 제시문 속의 문장을 그대로 쓰지 말아야 한다.

라. 반드시 본 대학교에서 지급한 필기구를 사용하여야 한다.

마. 수정할 부분이 있는 경우 수정도구를 사용하지 말고 원고지 교정법에 의하여 교정하여야 한다.

바. 본 대학교에서 지급한 필기구를 사용하지 않거나, 수정도구를 사용한 경우, 답안지에 특별한 표시를 한 경우, 또는 원고지의 일정분량 이상을 작성하지 않은 경우에는 감점 또는 0점 처리한다.

사례 2)

Ⅰ. 필요한 경우 한 개 또는 여러 개의 제시문을 선택하여 논의를 전개하고, 사용한 제시문은 꼭 참고문헌 형태로 표시하시오.

　　예) …[제시문 1-4].

　　예) …되며[제시문 2-4], …의 경우는 ~을 보여준다[제시문 2-1].

Ⅱ. [문제 1]부터 [문제 4]까지 문제 번호를 쓰고 순서대로 답하시오.

Ⅲ. 연필을 사용하지 말고, 흑색이나 청색 필기구를 사용하시오.

Ⅳ. 인적사항과 관련된 표현을 일절 쓰지 마시오.

Ⅴ. 문제당 배점은 동일함.

사례 3)

◇ 각 문제의 답안은 배부된 OMR 답안지에 표시된 문제지 번호에 맞춰 작성하시오.

◇ 각 문제마다 정해진 글자수(분량)는 띄어쓰기를 포함한 것이며, 정해진 분량에 미달하

거나 초과하면 감점 요인이 됩니다.
 ◇ 답안지의 수험번호는 반드시 컴퓨터용 수성 사인펜으로 표기하시오.
 ◇ 답안은 검정색 필기구로 작성하시오. (연필 사용 가능)
 ◇ 답안 수정시 원고지 교정법을 활용하시오. (수정 테이프 또는 연필지우개 사용 가능)
◇ 답안 내용 및 답안지 여백에는 성명, 수험번호 등 개인 신상과 관련된 어떤 내용, 불필
요한 기표하면 감점 처리됩니다.

사례 4)
 ◆ 답안 작성 시 유의사항 ◆
 □ 논술고사 시간은 90분이며, 답안의 자수 제한은 없습니다.
 □ 1번 문항의 답은 답안지 1면에 작성해야 하고, 2번 문항의 답은 답안지 2면에
작성해야 합니다. 1, 2번을 바꾸어 작성하는 경우 모두 '0점 처리'됩니다.
 □ 연습지는 별도로 제공하지 않습니다. 필요한 경우 문제지의 여백을 이용하시기
바랍니다.
 □ 답안은 검정색 또는 파란색 펜으로만 작성하며 연필, 샤프는 사용할 수 없습니다.
 □ 답안 수정은 수정할 부분에 두 줄로 긋거나 수정테이프(수정액은 사용 불가)를
사용해서 수정합니다.
 □ 답안지에는 답 이외에 아무 표시도 해서는 안 됩니다.
 □ 답안지 교체는 고사 시작 후 70분까지 가능하며, 그 이후는 교체가 불가합니다.

2. 제시문에 먼저 눈을 두지 말고 문제를 파악하라!!!

 대학별 고사인 논술의 어려운 점은 시간의 제한이 있는 글쓰기 시험이라는 것이다.
자유롭게 잘 쓸 수 있는 내용일지라도 시간의 제한이 있으면 애기가 달라진다. 특히
지금과 같이 각 대학별로 다양하게 등장하는 시험에 익숙하지 않은 수험생에게는 더
큰 부담으로 작용을 한다.
 대학에서는 다양하게 제시문과 문제를 분포시킨다. 문제를 등장시키고 제시문이 등장
하는 경우, 그림과 도표, 그래프 등과 같이 자료를 제시하고 제시문과 문제를 함께 등
장시키는 경우, 제시문을 많이 등장시키고 마지막에 문제를 제시하는 경우 등... 이렇
듯 다양한 문제에 시간의 적절한 활용은 대학별 고사의 실전에서는 당락을 결정하는
중요 요소이다.
 이러한 실전적 논술에서 핵심은 바로 목적을 가지고 제시문의 읽기가 선행되어야 한
다. 글 읽기의 핵심은 문제를 통해 논제를 구체적으로 파악하고 그 논제에 부합하게
제시문을 분석하는 것이다.

 ① 문제를 먼저 확인하라!! - 제시문을 읽고 문제를 보면 다시 긴 제시문을 또 읽어 시간
을 낭비한다.
 ② 세부 논제 확인하라!! - 한 문제라도 그 문제 속에 다루는 논제는 여러 개가 될 수 있

다. 그 질문 내용을 파악하라. 그리고 요구한 논제에 맞게 글을 구성한다.
 ③ 전제적 요건 파악하라!! - 각 문제의 전제적 요건 및 글로 표현된 부연 설명 등이 중요한 키워드가 될 수 있다.

V. 서울시립대학교 기출
1. 2024학년도 서울시립대 수시 논술

[문제 1] (85점)

두 곡선 $y = x^4 - 2x^2 + 1$과 $y = -x^2 + x + 2$가 만나는 두 점 중 x좌표가 음수인 점을 P, x좌표가 양수인 점을 Q라 하자. 점 A$(0, -1)$에 대하여 $k \le \overrightarrow{PQ} \cdot \overrightarrow{PA} < k+1$을 만족시키는 정수 k를 구하여라.

[문제 2] (총 95점)

서울이, 시립이, 대학이는 과일가게에서 사과와 배를 사려고 한다. 세 사람 중 과일을 사지 않은 사람이 있을 수도 있을 때, 다음 경우의 수를 구하여라. (단, 사과와 배는 각각 11개 이상이고, 같은 종류의 과일은 서로 구별하지 않는다.)

(a) 서울이, 시립이, 대학이가 모두 합해서 11개의 과일을 사는 경우의 수를 구하여라. (40점)

(b) 서울이, 시립이, 대학이가 산 과일의 수를 차례로 x, y, z라 하자. 이때 (a)의 경우 중 $x \le y \le z$를 만족시키는 경우의 수를 구하여라. (55점)

[문제 3] (105점)

자연수 n에 대하여 다음 조건을 만족시키는 두 정수의 순서쌍 $(a,\ b)$의 개수를 A_n이라 하자.

모든 실수 x에 대하여 $-|x-2| \le ax+b \le |x-2n|+5$이다.

이때 $\displaystyle\sum_{n=1}^{100} A_n$의 값을 구하여라.

[문제 4] (총 115점)

2이상의 자연수 n에 대하여 점 A_k의 좌표를 $\left(\cos\left(\dfrac{k-1}{n}\pi\right),\ \sin\left(\dfrac{k-1}{n}\pi\right)\right)$라 하자. (단, $k=1,\ 2,\ \cdots,\ 2n$) 점 $A_1,\ A_2,\ \cdots,\ A_{2n}$을 꼭짓점으로 하는 정 $2n$각형의 변 위를 두 점 P, Q가 시계 반대 방향으로 움직인다. 두 점 P, Q가 다음 조건을 모두 만족시킬 때, 다음 물음에 답하여라.

---
(1) 두 점 P, Q는 시각 $t=0$일 때 점 $A_1(1,\ 0)$을 출발하여 정 $2n$각형을 한 바퀴 돌아 점 A_1에 동시에 도착한다.

(2) 점 P는 변 $A_k A_{k+1}$위를 속력 $\sqrt{2-\dfrac{k}{2n}}$로 움직이고, 변 $A_{2n} A_1$위를 속력 1로 움직인다. (단, $k=1,\ 2,\ \cdots,\ 2n-1$)

(3) 점 Q의 속력은 일정하다.

(a) 점 P가 출발한 후 점 A_1에 처음으로 도착하는 시각을 b_n이라 할 때, $\displaystyle\lim_{n\to\infty} b_n$의 값을 구하여라. (50점)

(b) 점 P가 출발한 후 점 $A_{n+1}(-1,\ 0)$에 처음으로 도착하는 시각을 c_n이라 하자. 시각 $t=0$에서 $t=c_n$까지 점 P와 점 Q가 움직인 거리의 차를 d_n이라 할 때, $\displaystyle\lim_{n\to\infty} d_n$의 값을 구하여라. (65점)

【문제 1 답안작성란】 반드시 해당 문제와 일치하여야함

【문제 2 답안작성란】 반드시 해당 문제와 일치하여야함

이 줄 아래에 답안을 작성하거나 낙서할 경우 판독이 불가능하여 채점 불가

【문제 3 답안작성란】 반드시 해당 문제와 일치하여야함　　【문제 4 답안작성란】 반드시 해당 문제와 일치하여야함

2. 2024학년도 서울시립대 모의 논술

[문제 1] (85점)

연속함수 $f(x)$가 다음 조건을 만족시킨다.

$$f(x+2\pi) = f(x) + |\cos 3x| + \left| \sin \frac{x}{2} \right|$$

자연수 n에 대하여 $a_n = \dfrac{(-1)^n}{2n} \displaystyle\int_0^{2n\pi} f(x)dx$라 할 때, $\displaystyle\sum_{n=1}^{2024} a_n$의 값을 구하여라.

[문제 2] (총 95점)

빨간 공 6개와 파란 공 4개를 서로 다른 세 상자에 나누어 넣으려고 한다. (단, 빨간 공들은 서로 구별할 수 없고 파란 공들도 서로 구별할 수 없다.)

(a) 나누어 넣는 경우의 수를 구하여라. (40점)

(b) 모든 상자에서 빨간 공의 개수가 파란 공의 개수보다 같거나 많도록 나누어 넣는 경우의 수를 구하여라. (55점)

[문제 3] (105점)

함수 $f(t) = e^t \ln(e^{3t} - 2e^t + e^{-t})$의 정의역을 구하고, 정적분 $\int_{\ln 2}^{\ln 3} f(t)\,dt$의 값을 구하여라.

[문제 4] (총 115점)

쌍곡선 $\dfrac{x^2}{2} - y^2 = -1$의 두 초점 F_1, F_2와 이 쌍곡선 위의 점 $P(x,\ y)$에 대하여, 두 평면벡터 $\overrightarrow{PF_1}$과 $\overrightarrow{PF_2}$가 이루는 각의 크기를 $\theta(x)$라고 하자. (단, 점 P는 제 1사분면에 있다.)

(a) $\cos(\theta(x)) = \dfrac{f(x)}{g(x)}$을 만족시키는 다항식 $f(x)$와 $g(x)$를 구하여라. (40점)

(b) $\left|\overrightarrow{PF_1}\right| + \left|\overrightarrow{PF_2}\right| = 8$을 만족시키는 x에 대하여, $\theta'(x)$의 값을 구하여라. (75점)

모집단위

성 명

수 험 번 호

생년월일 (예 : 050512)

【문제 1 답안작성란】 반드시 해당 문제와 일치하여야함

【문제 2 답안작성란】 반드시 해당 문제와 일치하여야함

이 줄 아래에 답안을 작성하거나 낙서할 경우 판독이 불가능하여 채점 불가

【문제 3 답안작성란】 반드시 해당 문제와 일치하여야함　　　【문제 4 답안작성란】 반드시 해당 문제와 일치하여야함

3. 2023학년도 서울시립대 수시 논술 (자연 Ⅰ)

[문제 1] (총 85점)

시립이는 아래와 같은 규칙으로 주사위를 반복해 던져서 나오는 눈의 수만큼 주머니에 공을 넣는 게임을 한다. 게임을 시작할 때 주머니에 있는 공의 개수는 0이다.

> (1) 주머니에 있는 공의 개수가 5 이하이면 시립이는 주사위를 새로 던져서 나오는 눈의 수만큼 공을 넣는다.
> (2) 주머니에 있는 공의 개수가 6 이상이면 시립이는 주사위를 던지는 것을 멈추고 게임을 끝낸다.

(a) 게임이 끝났을 때 주머니에 있는 공의 개수가 6일 확률 $\dfrac{q}{p}$를 구하여라. (단, p와 q는 서로소인 자연수이다.) (45점)

(b) 시립이가 주사위를 4번 던져서 게임이 끝났을 때 주머니에 있는 공의 개수가 6일 확률 $\dfrac{s}{r}$를 구하여라. (단, r과 s는 서로소인 자연수이다.) (40점)

[문제 2] (95점)

함수 $f(x) = -x^3 - x + 3$의 역함수 $g(x)$에 대하여 연속함수 $h(x)$가 다음 조건을 모두 만족시킨다.

> (1) $h(x) = \begin{cases} 3x & (0 \le x < 1) \\ 4g'(x) + 4 & (1 \le x < 3) \end{cases}$
> (2) 모든 실수 x에 대하여 $h(x+3) = h(x)$이다.

정적분 $\displaystyle\int_0^6 xh(x)dx$의 값을 구하여라.

[문제 3] (105점)

다음을 만족시키는 서로 다른 세 자연수 a, b, c의 모든 순서쌍 (a, b, c)의 개수를 구하여라.

$$\log_2 (a+4b) + 2\log_2 c - \log_2 3 = 100$$

[문제 4] (총 115점)

좌표평면 위의 두 점 $\mathrm{F}(5,0)$, $\mathrm{F}'(-5,0)$을 초점으로 하는 타원 C_1과 두 점 F, F'을 초점으로 하는 쌍곡선 C_2가 있다. 두 곡선 C_1, C_2의 제1사분면 위의 교점 P에 대하여 $\overline{\mathrm{PF}} \times \overline{\mathrm{PF}'} = 20$일 때, 다음에 답하여라.

(a) $\dfrac{\overline{\mathrm{PF}}}{\overline{\mathrm{PF}'}}$의 값의 범위를 구하여라. (75점)

(b) $\angle \mathrm{FPF}' = \dfrac{\pi}{3}$일 때, $\dfrac{\overline{\mathrm{PF}}}{\overline{\mathrm{PF}'}}$의 값을 구하여라. (40점)

서울시립대학교
UNIVERSITY OF SEOUL

논술답안지(자연계)

※감독자 확인란

모집단위

성   명

수 험 번 호

생년월일 (예 : 050512)

【문제 1 답안작성란】 반드시 해당 문제와 일치하여야함

【문제 2 답안작성란】 반드시 해당 문제와 일치하여야함

이 줄 아래에 답안을 작성하거나 낙서할 경우 판독이 불가능하여 채점 불가

31

【문제 3 답안작성란】 반드시 해당 문제와 일치하여야함　　　　　【문제 4 답안작성란】 반드시 해당 문제와 일치하여야함

4. 2023학년도 서울시립대 수시 논술 (자연 Ⅱ)

[문제 1] (85점)

함수 $f(x) = x^3 + ax^2 + bx + 1$일 때, 모든 실수 x에 대하여 $f'(x) \neq 0$이면서 다음을 만족시키는 곡선 $y = f(x)$ 위의 점 P의 개수가 2가 되도록 하는 실수 a, b의 조건을 구하여라.

> 곡선 $y = f(x)$위의 점 $P(p, q)$에서의 접선을 l_1이라 하고, 점 P를 지나고 직선 l_1에 수직인 직선을 l_2라 하자.

직선 l_2와 y축의 교점을 Q라 할 때, $\overline{PQ} = 2|p| > 0$이다.

[문제 2] (95점)

세 점 P, Q, R은 한 변의 길이가 1인 정삼각형의 세 변 위를 시계 반대 방향으로 움직인다. 세 점 P, Q, R은 시각 $t = 0$일 때 한 꼭짓점에서 동시에 출발하며 순서대로 $1, \sqrt{2}, 2$의 일정한 속력으로 움직인다. 시각 $t = \sqrt{2}$에서 시각 $t = 2$까지 세 점 P, Q, R이 움직일 때, 삼각형 PQR의 넓이가 최대가 되는 시각과 최소가 되는 시각을 각각 구하여라.

[문제 3] (105점)
다음 그림과 같이 12개의 칸에 번호를 붙인 보관함을 흰 구슬 5개와 검은 구슬 7개로 빈칸 없이 채우려고 한다.

1	2	3
4	5	6
7	8	9
10	11	12

보관함의 적어도 한 개의 가로줄 또는 세로줄을 같은 색의 구슬로 채우는 경우의 수를 구하여라. (단, 보관함의 한 칸에는 구슬 한 개만 넣을 수 있다.)

[문제 4] (115점)
모든 자연수 n에 대하여 다음 부등식이 성립함을 보여라.

$$\sum_{k=1}^{n}\left\{\frac{1}{k+1}+\frac{1}{2(k+1)^2}\right\} \le \ln(n+1) \le \sum_{k=1}^{n}\frac{1}{2}\left(\frac{1}{k}+\frac{1}{k+1}\right)$$

모집단위

성   명

수 험 번 호

생년월일 (예 : 050512)

【문제 1 답안작성란】 반드시 해당 문제와 일치하여야함

【문제 2 답안작성란】 반드시 해당 문제와 일치하여야함

이 줄 아래에 답안을 작성하거나 낙서할 경우 판독이 불가능하여 채점 불가

35

【문제 3 답안작성란】 반드시 해당 문제와 일치하여야함	【문제 4 답안작성란】 반드시 해당 문제와 일치하여야함

5. 2023학년도 서울시립대 모의 논술

[문제 1] (85점)

쌍곡선 $\dfrac{x^2}{9} - \dfrac{y^2}{16} = 1$ 위의 점 P와 이 쌍곡선의 두 초점 F_1, F_2에 대하여 $\dfrac{\overline{PF_2}}{\overline{PF_1}} = \dfrac{29}{11}$ 일 때, 세 점 P, F_1, F_2를 지나는 이차함수의 그래프와 선분 $\overline{PF_2}$로 둘러싸인 부분의 넓이를 구하여라. (단, 점 P는 제 1사분면 위의 점이다.)

[문제 2] (총 95점)

어떤 주머니에 흰 공, 빨간 공, 파란 공들이 들어있다. 이 주머니에서 다음의 규칙을 따르는 시행을 한다.

> 주머니에서 임의로 한 개의 공을 꺼내어 그 색을 확인하고 같은 색의 공을 한 개 추가 하여 뽑은 공과 함께 주머니에 다시 넣는다.

처음에 흰 공 2개, 빨간 공 1개, 파란 공 1개가 들어있는 주머니에 대해, 이 시행을 7회 반복한 후, 주머니에 들어있는 공이 11개가 되면 멈춘다. 주머니에 있는 11개의 공 중에서 7개가 흰 공, 2개가 빨간 공, 2개가 파란 공인 사건을 A라 할 때, 다음 물음에 답하여라.

(a) 사건 A가 일어날 확률을 구하여라. (40점)

(b) 사건 A가 일어났을 때, 7회의 각 시행 후에 주머니에 있는 흰 공의 개수가 항상 나머지 공의 개수보다 크거나 같을 조건부 확률을 구하여라. (55점)

[문제 3] (105점)

실수 전체의 집합에서 미분가능한 두 함수 $f(x)$와 $g(x)$가 다음 조건을 모두 만족시킬 때, $\{f(1)\}^2 + \{g(1)\}^2$의 값을 구하여라.

$$(1) \quad \int_0^x e^t f(t)\,dt = \dfrac{e^x\{f(x) - g(x)\} + 1}{2}$$

$$(2) \quad \int_0^x e^t g(t)\,dt = \dfrac{e^x\{f(x) + g(x)\} - 1}{2}$$

[문제 4] (115점)

그림과 같이 길이가 2인 선분 AB를 지름으로 하는 반원이 있다. 호 AB 위에 두 점 P, Q를 $\angle PAB = \theta$, $\angle QBA = 3\theta$가 되도록 잡고, 두 선분 AP, BQ의 교점을 R이라 하자. 삼각형 PQR의 내접원의 반지름의 길이를 $r(\theta)$라 할 때, $\displaystyle\lim_{\theta \to 0+} \dfrac{r(\theta)}{\theta}$의 값을 구하여라.

(단, $0 < \theta < \dfrac{\pi}{8}$ 이다.)

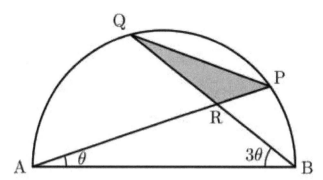

【문제 1 답안작성란】 반드시 해당 문제와 일치하여야함

【문제 2 답안작성란】 반드시 해당 문제와 일치하여야함

이 줄 아래에 답안을 작성하거나 낙서할 경우 판독이 불가능하여 채점 불가

【문제 3 답안작성란】 반드시 해당 문제와 일치하여야함　　　**【문제 4 답안작성란】** 반드시 해당 문제와 일치하여야함

6. 2022학년도 서울시립대 수시 논술 (자연 Ⅰ)

[문제 1] (총 85점)

좌표평면에서 곡선 $y = x - x^2$의 네 점 O(0, 0), A(a, $a - a^2$), B(b, $b - b^2$), C(1, 0)에 대하여 다음 물음에 답하여라. (단, $0 < b < a < 1$이다.)

(a) 점 B가 곡선에서 두 점 O와 A사이를 움직일 때, 삼각형 OAB의 넓이의 최댓값을 a에 대한 식으로 나타내어라. (25점)

(b) 두 점 A, B가 곡선에서 두 점 O와 C사이를 움직일 때, 사각형 ABOC의 넓이의 최댓값을 구하여라. (60점)

[문제 2] (총 95점)

한 개의 주사위를 6번 던질 때, 다음 물음에 답하여라.

(a) 3의 배수의 눈이 연속해서 나오지 않을 확률을 기약분수로 나타내어라. (45점)

(b) 적어도 한 번은 2이하의 눈이 나왔을 때, 3의 배수의 눈이 연속해서 나오지 않을 확률을 기약분수로 나타내어라. (50점)

[문제 3] (105점)
다음 정적분의 값을 구하여라.

$$\int_{-\frac{\pi}{2}}^{\frac{\pi}{2}} |3\sqrt{2}\sin^3 x - \cos x|\,dx$$

[문제 4] (115점)
수열 $\{a_n\}$의 귀납적 정의가

$$a_1 = 5, \quad a_{n+1} = \frac{3}{4}a_n + \frac{2}{\sqrt{a_n}} \quad (n = 1,\ 2,\ 3,\ \cdots)$$

일 때, 다음 부등식이 성립함을 보여라.

$$4 < a_n \le \left(\frac{3}{4}\right)^{n-1} + 4 \quad (n = 1,\ 2,\ 3,\ \cdots)$$

모집단위

성 명

【문제 1 답안작성란】 반드시 해당 문제와 일치하여야함

【문제 2 답안작성란】 반드시 해당 문제와 일치하여야함

이 줄 아래에 답안을 작성하거나 낙서할 경우 판독이 불가능하여 채점 불가

43

【문제 3 답안작성란】 반드시 해당 문제와 일치하여야함 　　　【문제 4 답안작성란】 반드시 해당 문제와 일치하여야함

7. 2022학년도 서울시립대 수시 논술 (자연 Ⅱ)

[문제 1] (85점)

어느 김밥집에서 파는 김밥의 종류는 4가지다. 이 김밥집에서 서울이와 시립이가 다음을 모두 만족시키도록 김밥을 사는 경우의 수를 구하여라. (단, 모든 종류의 김밥은 충분하다.)

> (1) 서울이와 시립이는 각각 김밥 5줄을 산다.
> (2) 서울이가 산 김밥의 종류와 시립이가 산 김밥의 종류는 겹치지 않는다.

[문제 2] (95점)

함수

$$f(x) = \begin{cases} x^3 - 2x + 11 & (x \leq -2) \\ \dfrac{5}{2}x - 2\cos\left(\dfrac{\pi}{3}x\right) + 11 & (x > -2) \end{cases}$$

의 역함수의 그래프와 직선 $y = \dfrac{1}{5}x - 1$의 모든 교점의 y좌표의 합을 a라 할 때, a의 정수 부분을 구하여라.

[문제 3] (105점)

자연수 n에 대하여 다음을 모두 만족시키는 두 자연수 k, m의 순서쌍 (k, m)의 개수를 a_n이라 하자. 이 때, $\displaystyle\sum_{n=1}^{p} a_n \leq 2022$를 만족시키는 자연수 p의 최댓값을 구하여라.

(1) $k^2 m^3 = 2^{9n}$

(2) $m \leq 8^n \leq m^2$

[문제 4] (총 115점)

다음 물음에 답하여라.

(a) 상수 a에 대하여 방정식 $x^3 - 6x^2 + a = 0$의 한 근이 t일 때, 나머지 두 근을 t에 대한 식으로 나타내어라. (25점)

(b) 좌표평면에서 직사각형 ABCD의 두 꼭짓점 A, D는 곡선 $y = -x^3 + 6x^2$에 있는 제 1 사분면의 점이고, 두 꼭짓점 B, C는 x축에 있다. 직사각형 ABCD의 넓이가 최대일 때, 변 AB의 길이를 구하여라. (90점)

모집단위

성 명

수 험 번 호

생년월일 (예 : 050512)

【문제 1 답안작성란】 반드시 해당 문제와 일치하여야함

【문제 2 답안작성란】 반드시 해당 문제와 일치하여야함

이 줄 아래에 답안을 작성하거나 낙서할 경우 판독이 불가능하여 채점 불가

【문제 3 답안작성란】 반드시 해당 문제와 일치하여야함   **【문제 4 답안작성란】** 반드시 해당 문제와 일치하여야함

8. 2022학년도 서울시립대 모의 논술

[문제 1] (총 85점)

$0 < t < \dfrac{\pi}{2}$에 대하여 곡선 $y = -t^2 x^2 + 1$과 직선 $y = (2\tan t)x$ 및 y축의 양의 부분으로 둘러싸인 도형의 넓이를 $A(t)$라 하고, 곡선 $y = -t^2 x^2 + 1$과 직선 $y = (2\tan t)x$ 및 x축의 양의 부분으로 둘러싸인 도형의 넓이를 $B(t)$라 할 때, 다음 물음에 답하여라.

(a) 곡선 $y = -t^2 x^2 + 1$과 직선 $y = (2\tan t)x$의 교점 중 제 1사분면에 있는 점의 x좌표를 $p(t)$라 할 때, 극한값 $\displaystyle\lim_{t \to 0+} tp(t)$를 구하여라. (35점)

(b) 극한값 $\displaystyle\lim_{t \to 0+} \dfrac{A(t)}{B(t)}$를 구하여라. (50점)

[문제 2] (95점)

자연수 n에 대하여

$$f(x) = 4(\log_2 n)\cos x + 4(\log_4 n)^2 - 12, \quad g(x) = \begin{cases} 4\sin^2 x & (|x| \le 2n\pi) \\ -17 & (|x| > 2n\pi) \end{cases}$$

라 하자. 두 함수 $y = f(x)$와 $y = g(x)$의 그래프의 교점의 개수를 a_n이라 할 때, $\displaystyle\sum_{k=1}^{2022} a_k$의 값을 구하여라.

[문제 3] (총 105점)

아래와 같이 화살표 8개가 처음 4개는 위(↑)로 향하고, 나머지 4개는 아래(↓)로 향하도록 놓여있다.

$$\uparrow \uparrow \uparrow \uparrow \downarrow \downarrow \downarrow \downarrow$$

위와 같이 놓여있는 8개의 화살표 중 2개를 임의로 선택하여 화살표의 방향을 반대로 바꾼 후, 이 8개의 화살표 중 다시 2개를 임의로 선택하여 방향을 반대로 바꾸는 시행을 하였다. 이 시행을 마쳤을 때, 위로 향하는 화살표가 4개인 사건을 A, 마지막 2개의 화살표가 위로 향하는 사건을 B라고 하자. 다음 물음에 답하여라.

(a) 확률 $\mathrm{P}(A)$를 구하여라. (50점)

(b) 조건부 확률 $\mathrm{P}(B|A)$를 구하여라. (55점)

[문제 4] (115점)

자연수 n에 대하여 다음 부등식이 성립함을 보여라.

$$e^2 \le \left(1+\frac{1}{n}\right)^{2n+1}$$

50

서울시립대학교
UNIVERSITY OF SEOUL

논술답안지(자연계)

※감독자 확인란

모집단위

성   명

수 험 번 호

생년월일 (예 : 050512)

【문제 1 답안작성란】 반드시 해당 문제와 일치하여야함

【문제 2 답안작성란】 반드시 해당 문제와 일치하여야함

이 줄 아래에 답안을 작성하거나 낙서할 경우 판독이 불가능하여 채점 불가

【문제 3 답안작성란】 반드시 해당 문제와 일치하여야함　　**【문제 4 답안작성란】** 반드시 해당 문제와 일치하여야함

9. 2021학년도 서울시립대 수시 논술 (자연 Ⅰ)

[문제 1] (85점)

동전 5개가 앞면이 2개, 뒷면이 3개가 보이도록 놓여있다. 이 동전 5개 중에서 임의로 하나를 선택하여 뒤집는 시행을 한다. 이 시행을 반복하여 보이는 동전이 모두 같은 면이 되면 멈춘다. 멈출 때까지의 총 시행 횟수를 확률변수 X라 하고, X가 4이하인 사건을 A라 하자. 첫 시행에서 앞면이 보이는 동전을 선택하는 사건을 B라 할 때, $\mathrm{P}(B|A)$를 구하여라.

[문제 2] (95점)

다음을 모두 만족시키는 다항식 $f(x)$를 구하여라.

> (1) $f(0) = 0$
>
> (2) 상수 $0 < a < 1$에 대하여 $\displaystyle\int_{1-a}^{1+a} \frac{\cos a - \cos 1 \cos x}{\sin^2 x} dx = 2\sin f(a)$이다.

[문제 3] (총 105점)

한 변의 길이가 $3+2\sqrt{2}$인 정사각형 ABCD와 그 내부에 원 C_1, 원 C_2, 직사각형 EBFG가 다음을 모두 만족시키도록 놓여있다.

(1) C_1은 두 변 AB, AD와 각각 한 점에서만 만난다.

(2) C_2는 중심이 C_1밖에 있고, C_1, 변 BC, 변 CD와 각각 한 점에서만 만난다.

(3) 점 E는 변 AB에 있고, 점 F는 변 BC에 있다.

(4) 직사각형 EBFG는 C_1, C_2와 각각 한 점에서만 만난다.

(5) $\overline{BF} < \overline{EB}$

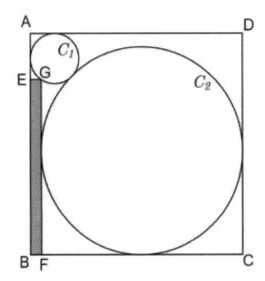

변 BF의 길이를 x라 하고 직사각형 EBFG의 넓이를 $f(x)$라 하자.

(a) 함수 $f(x)$를 구하여라. (65점)

(b) 함수 $f(x)$가 미분가능함을 보여라. (40점)

[문제 4] (115점)

자연수 n에 대하여 다음을 모두 만족시키는 세 자연수 a, b, c의 순서쌍 (a, b, c)의 개수를 구하여라.

(1) $1 \le a < b < c \le 6n$

(2) $a+c=2b$

(3) $\sin\left(\dfrac{\pi a}{6n}\right) < \sin\left(\dfrac{\pi b}{6n}\right) < \sin\left(\dfrac{\pi c}{6n}\right)$

서울시립대학교
UNIVERSITY OF SEOUL

논술답안지(자연계)

※감독자 확인란

모집단위

성 명

수 험 번 호

생년월일 (예 : 050312)

【문제 1 답안작성란】 반드시 해당 문제와 일치하여야함

【문제 2 답안작성란】 반드시 해당 문제와 일치하여야함

이 줄 아래에 답안을 작성하거나 낙서할 경우 판독이 불가능하여 채점 불가

【문제 3 답안작성란】 반드시 해당 문제와 일치하여야함	【문제 4 답안작성란】 반드시 해당 문제와 일치하여야함

10. 2021학년도 서울시립대 수시 논술 (자연 Ⅱ)

[문제 1] (85점)

$f(x) = x^4 + 2ax^3 - 3a^2x^2 + 4a^4 - 4a^3 + 1 \ (a > 0)$이다. 곡선 $y = f(x)$가 점 $(1,1)$을 지나는 직선과 서로 다른 두 점에서 접할 때, 이 직선과 곡선 $y = f(x)$로 둘러싸인 도형의 넓이를 구하라.

[문제 2] (95점)

자연수 $n(n \geq 9)$에 대하여 n이하의 자연수 전체의 집합을 A_n이라 하자. 다음을 모두 만족시키는 함수 $f : A_n \rightarrow \{0, 1, 2\}$의 개수를 구하여라.

---

(1) 집합 $\{k | f(k) = 0, \ k \in A_n\}$의 원소의 개수는 3이다.

(2) 집합 $\{k | f(k) = 1, \ k \in A_n\}$의 원소의 개수는 3이다.

(3) n이하의 모든 자연수 k에 대하여 $\displaystyle\sum_{i=1}^{k} f(i) \geq k$이다.

[문제 3] (총 105점)

다음 물음에 답하여라.

(a) 미분가능한 함수 $f(x)$에 대하여, 곡선 $y=f(x)$의 점 P와 이 곡선에 있지 않은 점 Q가 다음을 만족시킬 때, 곡선 $y=f(x)$의 점 P에서의 접선과 직선 PQ가 수직임을 보여라. (55점)

> 곡선 $y=f(x)$의 모든 점 X에 대하여 $\overline{PQ} \leq \overline{XQ}$이다.

(b) 곡선 $y=x^2$에서 움직이는 점 P와 곡선 $y=-(x-6)^2$에서 움직이는 점 Q에 대하여 $\overline{PQ}$의 최솟값을 구하여라. (50점)

[문제 4] (115점)

함수 $y=f(x)(x \geq 1)$가 다음을 만족시킨다.

> 모든 자연수 m에 대하여 $64^{m-1} \leq x < 64^m$이면 $f(x)=8^m$이다.

자연수 k에 대하여 함수 $y=\dfrac{1}{k^3}x^2$의 그래프와 함수 $y=f(x)$의 그래프의 교점의 개수를 a_k라 하자. $n=2^{300}$일 때, $\displaystyle\sum_{k=1}^{n} a_k$를 구하여라.

모집단위

성   명

수 험 번 호

생년월일 (예 : 050512)

【문제 1 답안작성란】 반드시 해당 문제와 일치하여야함

【문제 2 답안작성란】 반드시 해당 문제와 일치하여야함

이 줄 아래에 답안을 작성하거나 낙서할 경우 판독이 불가능하여 채점 불가

【문제 3 답안작성란】 반드시 해당 문제와 일치하여야함	【문제 4 답안작성란】 반드시 해당 문제와 일치하여야함

11. 2021학년도 서울시립대 모의 논술

[문제 1] (85점)

포물선 $y = x^2$의 서로 다른 두 점 A와 B에 대하여 점 A에서의 접선과 점 B에서의 접선의 교점을 점 C라 하자. 포물선 $y = x^2$과 선분 AB로 둘러싸인 도형의 넓이가 60일 때, 삼각형 ABC의 넓이를 구하여라.

[문제 2] (95점)

다음 정적분의 값을 구하여라.

$$\int_1^2 \frac{3x^4 + 4x^3\ln x - 4x^3 - 8x^2\ln x + 3x^2 + 8x\ln x + 4x + 4}{x^2 - 2x + 2}dx$$

[문제 3]
(105점)
아래의 그림과 같은 도로망에서 A 또는 B에서 출발하여 출발점을 포함한 각 교차로에서
다음 규칙을 따라 이동한다.

> (1) 동전을 던져 앞면이 나오면 위로(↑), 뒷면이 나오면 오른쪽(→)으로 각각 한 칸
>   이동한다.
> (2) 위로 이동할 수 없는 경우에는 오른쪽으로 이동하고, 오른쪽으로 이동할 수 없는
>   경우에는 위로 이동한다.
> (3) C 또는 D에 도착하면 이동을 멈춘다.

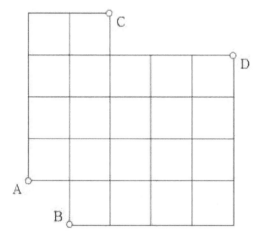

(a) B에서 출발하였을 때, D에 도착할 확률을 구하여라. (45점)

(b) 시립이는 동전을 던져 앞면이 나오면 A에서 출발하고, 뒷면이 나오면 B에서 출발한
다. 시립이가 C에 도착했을 때, 시립이가 A에서 출발하였을 확률을 구하여라. (60점)

[문제 4] (115점)
좌표평면에서 x좌표와 y좌표가 모두 정수인 점을 격자점이라 하자. 자연수 k에 대하여,
아래 함수의 그래프로 둘러 싸인 영역의 둘레와 내부에 있는 격자점의 개수를 a_k라 할

때, $\displaystyle\sum_{k=1}^{n} a_k$을 구하여라.

$$y = -2|x| + 3 \cdot 4^k, \qquad y = \begin{cases} \dfrac{x^2}{4^k} & (x \geq 0) \\ 2^k \sqrt{-x} & (x < 0) \end{cases}$$

62

서울시립대학교
UNIVERSITY OF SEOUL

논술답안지(자연계)

※감독자 확인란

모 집 단 위

성   명

수 험 번 호

생년월일 (예 : 050512)

【문제 1 답안작성란】 반드시 해당 문제와 일치하여야함

【문제 2 답안작성란】 반드시 해당 문제와 일치하여야함

이 줄 아래에 답안을 작성하거나 낙서할 경우 판독이 불가능하여 채점 불가

【문제 3 답안작성란】 반드시 해당 문제와 일치하여야함 **【문제 4 답안작성란】** 반드시 해당 문제와 일치하여야함

VI. 예시 답안
1. 2024학년도 서울시립대 수시 논술

문제 1] (85점)

두 곡선 $y = x^4 - 2x^2 + 1$과 $y = -x^2 + x + 2$가 만나는 두 점 중 x좌표가 음수인 점을 P, x좌표가 양수인 점을 Q라 하자. 점 $A(0, -1)$에 대하여 $k \leq \overrightarrow{PQ} \cdot \overrightarrow{PA} < k + 1$을 만족시키는 정수 k를 구하여라.

[문제 2] (총 95점)

서울이, 시립이, 대학이는 과일가게에서 사과와 배를 사려고 한다. 세 사람 중 과일을 사지 않은 사람이 있을 수도 있을 때, 다음 경우의 수를 구하여라. (단, 사과와 배는 각각 11개 이상이고, 같은 종류의 과일은 서로 구별하지 않는다.)

(a) 서울이, 시립이, 대학이가 모두 합해서 11개의 과일을 사는 경우의 수를 구하여라. (40점)

(b) 서울이, 시립이, 대학이가 산 과일의 수를 차례로 x, y, z라 하자. 이때 (a)의 경우 중 $x \leq y \leq z$를 만족시키는 경우의 수를 구하여라. (55점)

[문제 3] (105점)

자연수 n에 대하여 다음 조건을 만족시키는 두 정수의 순서쌍 (a, b)의 개수를 A_n이라 하자.

모든 실수 x에 대하여 $-|x-2| \leq ax + b \leq |x - 2n| + 5$이다. 이때 $\sum_{n=1}^{100} A_n$의 값을 구하여라.

[문제 4] (총 115점)

(a) 점 P가 출발한 후 점 A_1에 처음으로 도착하는 시각을 b_n이라 할 때, $\lim_{n \to \infty} b_n$의 값을 구하여라. (50점)

(b) 점 P가 출발한 후 점 $A_{n+1}(-1, 0)$에 처음으로 도착하는 시각을 c_n이라 하자. 시각 $t = 0$에서 $t = c_n$까지 점 P와 점 Q가 움직인 거리의 차를 d_n이라 할 때, $\lim_{n \to \infty} d_n$의 값을 구하여라. (65점)

[문제 1]

$y = x^4 - 2x^2 + 1$과 $y = -x^2 + x + 2$를 **연립하면** $x^4 - x^2 - x - 1 = (x+1)(x^3 - x^2 - 1) = 0$이므로 점 P의 좌표는 $(-1, 0)$이다. 또한

$$f(x) = x^3 - x^2 - 1$$

라 두면 $f'(x) = 3x^2 - 2x$이다. 함수 $f(x)$는 $x = 0$에서 극댓값 -1을 가지므로 $f(x) = 0$

은 단 하나의 실근을 가진다. 그 실근을 a라 하면 점 Q의 좌표는 $(a, -a^2+a+2)$이다. $y=x^4-2x^2+1$과 $y=-x^2+x+2$의 그래프로부터 a의 범위는 $1<a<2$이다.

한편, 주어진 내적은

$$\overrightarrow{PQ} \cdot \overrightarrow{PA} = (\overrightarrow{OQ}-\overrightarrow{OP}) \cdot (\overrightarrow{OA}-\overrightarrow{OP}) = (a+1, -a^2+a+2) \cdot (1, -1) = a^2-1$$

이다. 따라서 $0 < \overrightarrow{PQ} \cdot \overrightarrow{PA} < 3$이고 구하는 정수 k는 0, 1, 2 중 하나이다. $f(\sqrt{2}) = 2\sqrt{2}-3 = \sqrt{8}-\sqrt{9} < 0$이고 $f(\sqrt{3}) = 3\sqrt{3}-4 = \sqrt{27}-\sqrt{16} > 0$이므로 사잇값 정리에 의해 $\sqrt{2} < a < \sqrt{3}$이다. 따라서 $1 \le \overrightarrow{PQ} \cdot \overrightarrow{PA} < 2$이고 $k=1$이다.

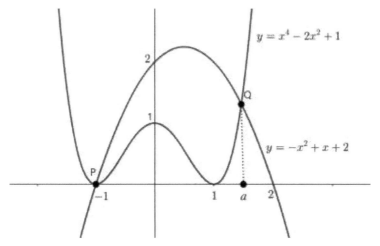

[문제 2]

(a) 서울이, 시립이, 대학이가 산 사과의 수를 차례로 x_1, y_1, z_1이라 하자. 또한, 서울이, 시립이, 대학이가 산 배의 수를 차례로 x_2, y_2, z_2라 하자. 구하는 경우의 수는 방정식 $x_1+y_1+z_1+x_2+y_2+z_2 = 11$의 음이 아닌 정수해의 개수와 같으며 그 값은 $_6H_{11} = 4368$이다.

(b) 어떤 사람이 사과와 배 중에서 m개의 과일을 사는 경우의 수는 $_2H_m$이다. (a)의 경우 중 서울이, 시립이, 대학이가 산 과일의 수가 차례로 x, y, z인 경우의 수는 $_2H_x \times _2H_y \times _2H_z = (x+1)(y+1)(z+1)$이다. 다음과 같이 x, y, z가 $x \le y \le z$를 만족시키는 경우를 나누자.

(i) $x=y=z$인 경우는 없다.

(ii) $x=y<z$일 때, (x, y, z)의 경우를 모두 찾으면, $(0, 0, 11)$, $(1, 1, 9)$, $(2, 2, 7)$, $(3, 3, 5)$이다.
(a)의 경우 중 (x, y, z)가 $(0, 0, 11)$, $(1, 1, 9)$, $(2, 2, 7)$, $(3, 3, 5)$를 만족시키는 경우의 수는 차례로 12, 40, 72, 96이다.

(iii) $x<y=z$일 때, (x, y, z)의 경우를 모두 찾으면, $(1, 5, 5)$, $(3, 4, 4)$이다.
(a)의 경우 중 (x, y, z)가 $(1, 5, 5)$, $(3, 4, 4)$를 만족시키는 경우의 수는 차례로 72, 100이다.

(iv) $x<y<z$일 때, (a)의 경우 중 이 조건을 만족시키는 경우의 수는 x, y, z가 서로 다른 경우를 모두 찾아 $3!=6$으로 나눈 값과 같다. x, y, z중 세 개가 같은 경우의 수는 (ⅰ)에 의해 0이고, 두 개가 같은 경우의 수는 (ⅱ), (ⅲ)에 의해 392이므로, (a)의 경우 중에서 x, y, z가 모두 다른 경우의 수는 $4368-0\times1-392\times3=3192$이다. 따라서, (a)의 경우 중 $x<y<z$를 만족시키는 경우의 수는 532이다.

(ⅰ), (ⅱ), (ⅲ), (ⅳ)로부터 구하는 경우의 수는 $0+220+172+532=924$이다.

[문제 3]

주어진 조건으로부터 $x \geq 2n$일 때, $\dfrac{-(x-2)}{x} \leq \dfrac{ax+b}{x} \leq \dfrac{(x-2n)+5}{x}$이다. 함수의 극한의 대소관계에 따라

$$-1 = \lim_{x \to \infty}\left(\frac{-(x-2)}{x}\right) \leq a = \lim_{x \to \infty}\left(\frac{ax+b}{x}\right) \leq \lim_{x \to \infty}\left(\frac{(x-2n)+5}{x}\right) = 1$$

이므로 $-1 \leq a \leq 1$이다. 즉 가능한 정수 a는 -1, 0, 1뿐이다.

(ⅰ) $a=0$인 경우

함수 $y=-|x-2|$의 최댓값은 0이고, 함수 $y=|x-2n|+5$의 최솟값은 5이므로, $0 \leq b \leq 5$이다. 모든 실수 x에 대하여 $-|x-2| \leq b \leq |x-2n|+5$가 성립하는 정수 b의 개수는 6이다.

(ⅱ) $a=-1$인 경우

모든 실수 x에 대하여 $x-|x-2| \leq b \leq x+|x-2n|+5$를 만족시키는 정수 b를 찾자. $x \geq 2$이면 $x-|x-2|=2$이고, $x<2$이면 $x-|x-2|=2x-2$이므로, 함수 $y=x-|x-2|$의 최댓값은 2이다. 마찬가지로, $x \geq 2n$인 경우와 $x<2n$인 경우로 나누어서 생각하면, 함수 $y=x+|x-2n|+5$의 최솟값은 $2n+5$이다. 따라서, $2 \leq b \leq 2n+5$이고 모든 실수 x에 대하여 $x-|x-2| \leq b \leq x+|x-2n|+5$를 만족시키는 정수 b의 개수는 $2n+4$이다.

(ⅲ) $a=1$인 경우

$a=-1$인 경우와 마찬가지로, 함수 $y=-x-|x-2|$의 최댓값은 -2이고, 함수 $y=-x+|x-2n|+5$의 최솟값은 $5-2n$이다. 모든 실수 x에 대하여 $-x-|x-2| \leq b \leq -x+|x-2n|+5$를 만족시키는 정수 b의 개수를 n의 값에 따라 구해보면 다음과 같다.

	$n=1$	$n=2$	$n=3$	$n \geq 4$
정수 b의 개수	6	4	2	0

그러므로

$$\sum_{n=1}^{100} A_n = \sum_{n=1}^{100} 6 + \sum_{n=1}^{100}(2n+4) + (6+4+2) = 11112$$

이다.

[문제 4]

(a) 정 $2n$각형의 한 변의 길이를 l_n이라 하자. 점 P가 k번째 변 위를 움직이는 데 걸리는 시간은 $\dfrac{l_n}{\sqrt{2-\dfrac{k}{2n}}}$ 이므로 $b_n = \displaystyle\sum_{k=1}^{2n} \dfrac{l_n}{\sqrt{2-\dfrac{k}{2n}}}$ 이다. 따라서

$$\lim_{n\to\infty} b_n = \lim_{n\to\infty}\sum_{k=1}^{2n}\frac{l_n}{\sqrt{2-\dfrac{k}{2n}}} = \lim_{n\to\infty}\left(2nl_n\sum_{k=1}^{2n}\frac{1}{\sqrt{2-\dfrac{k}{2n}}}\frac{1}{2n}\right)$$

이다. 한편, $l_n = 2\sin\left(\dfrac{\pi}{2n}\right)$ 이므로 $\displaystyle\lim_{n\to\infty}2nl_n = \lim_{n\to\infty}2\pi\dfrac{\sin\left(\dfrac{\pi}{2n}\right)}{\dfrac{\pi}{2n}} = 2\pi$ 이다. 또한 정적분과 급수의 합 사이의 관계로부터

$$\lim_{n\to\infty}\sum_{k=1}^{2n}\frac{1}{\sqrt{2-\dfrac{k}{2n}}}\frac{1}{2n} = \int_0^1 \frac{1}{\sqrt{2-x}}dx = 2(\sqrt{2}-1)$$

이다. 따라서 $\displaystyle\lim_{n\to\infty} b_n = 4(\sqrt{2}-1)\pi$ 이다.

(b) 시각 $t=c_n$까지 점 P가 움직인 거리는 nl_n이다. 점 Q의 속력은 $\dfrac{2nl_n}{b_n}$이므로, 시각 $t=c_n$까지 점 Q가 움직인 거리는 $\dfrac{2nl_nc_n}{b_n}$이다. 따라서 $d_n = nl_n - \dfrac{2nl_nc_n}{b_n}$이다. 한편 **(a)** 에서 $\displaystyle\lim_{n\to\infty}2nl_n = 2\pi$이고, $\displaystyle\lim_{n\to\infty} b_n = 4(\sqrt{2}-1)\pi$이다. 정적분과 급수의 합 사이의 관계로부터

$$\lim_{n\to\infty} c_n = \lim_{n\to\infty}\sum_{k=1}^{n}\frac{l_n}{\sqrt{2-\dfrac{k}{2n}}} = \lim_{n\to\infty}nl_n\sum_{k=1}^{n}\frac{1}{\sqrt{2-\dfrac{k}{2n}}}\frac{1}{n} = \pi\int_0^1\frac{1}{\sqrt{2-\dfrac{x}{2}}}dx = 2(2\sqrt{2}-\sqrt{6})\pi$$

이다. 따라서

$$\lim_{n\to\infty} d_n = \pi - \frac{4(2\sqrt{2}-\sqrt{6})\pi^2}{4(\sqrt{2}-1)\pi} = \pi - \frac{(2\sqrt{2}-\sqrt{6})\pi}{\sqrt{2}-1} = \frac{\sqrt{6}-1-\sqrt{2}}{\sqrt{2}-1}\pi = (\sqrt{6}+2\sqrt{3}-2\sqrt{2}-3)\pi$$

이다.

2. 2024학년도 서울시립대 모의 논술

[문제 1] (85점)

연속함수 $f(x)$가 다음 조건을 만족시킨다.

$$f(x+2\pi)=f(x)+|\cos 3x|+\left|\sin\frac{x}{2}\right|$$

자연수 n에 대하여 $a_n=\dfrac{(-1)^n}{2n}\displaystyle\int_0^{2n\pi}f(x)dx$라 할 때, $\displaystyle\sum_{n=1}^{2024}a_n$의 값을 구하여라.

[문제 2] (총 95점)
빨간 공 6개와 파란 공 4개를 서로 다른 세 상자에 나누어 넣으려고 한다. (단, 빨간 공들은 서로 구별할 수 없고 파란 공들도 서로 구별할 수 없다.)
(a) 나누어 넣는 경우의 수를 구하여라. (40점)
(b) 모든 상자에서 빨간 공의 개수가 파란 공의 개수보다 같거나 많도록 나누어 넣는 경우의 수를 구하여라. (55점)

[문제 3] (105점)
함수 $f(t)=e^t\ln\!\left(e^{3t}-2e^t+e^{-t}\right)$의 정의역을 구하고, 정적분 $\displaystyle\int_{\ln 2}^{\ln 3}f(t)dt$의 값을 구하여라.

[문제 4] (총 115점)
쌍곡선 $\dfrac{x^2}{2}-y^2=-1$의 두 초점 $\mathrm{F_1}$, $\mathrm{F_2}$와 이 쌍곡선 위의 점 $\mathrm{P}(x,\,y)$에 대하여, 두 평면벡터 $\overrightarrow{\mathrm{PF_1}}$과 $\overrightarrow{\mathrm{PF_2}}$가 이루는 각의 크기를 $\theta(x)$라고 하자. (단, 점 P는 제 1사분면에 있다.)

(a) $\cos(\theta(x))=\dfrac{f(x)}{g(x)}$을 만족시키는 다항식 $f(x)$와 $g(x)$를 구하여라. (40점)

(b) $\left|\overrightarrow{\mathrm{PF_1}}\right|+\left|\overrightarrow{\mathrm{PF_2}}\right|=8$을 만족시키는 x에 대하여, $\theta'(x)$의 값을 구하여라. (75점)

[문제 1]

$|\cos 3x|$와 $\left|\sin\dfrac{x}{2}\right|$는 주기가 각각 $\dfrac{\pi}{3}$, 2π이므로 문제의 조건을 여러 번 적용하면

$$f(x+2k\pi)=f(x)+k\!\left(|\cos 3x|+\left|\sin\frac{x}{2}\right|\right)\quad(\text{단, }k\text{는 자연수})$$

이다. 이제 $A=\displaystyle\int_0^{2\pi}f(x)dx$라 두자.

$$\int_0^{2\pi}\!\left(|\cos 3x|+\left|\sin\frac{x}{2}\right|\right)dx=8$$

이므로

$$\int_0^{2n\pi} f(x)dx = \sum_{k=1}^{n} \int_{2\pi(k-1)}^{2\pi k} f(x)dx = \sum_{k=1}^{n} \int_0^{2\pi} f(x+2\pi(k-1))dx$$

$$= \sum_{k=1}^{n} \int_0^{2\pi} \left(f(x) + (k-1)\left(|\cos 3x| + \left| \sin \frac{x}{2} \right| \right) \right)dx$$

$$= \sum_{k=1}^{n} (A + 8(k-1)) = nA + 4n(n-1)$$

이다. 따라서 $a_n = (-1)^n \left(\dfrac{A}{2} + 2(n-1) \right)$ 이며,

$$\sum_{n=1}^{2024} a_n = \sum_{n=1}^{1012} a_{2n} + \sum_{n=1}^{1012} a_{2n-1} = \sum_{n=1}^{1012} \left(\frac{A}{2} + 2(2n-1) \right) - \sum_{n=1}^{1012} \left(\frac{A}{2} + 2(2n-2) \right) = \sum_{n=1}^{1012} 2 = 2024.$$

[문제 2]

(a) 세 상자를 각각 상자 1, 상자 2, 상자 3이라 하자. $i = 1, 2, 3$에 대하여, 상자 i에 넣은 빨간 공의 수와 파란 공의 수를 각각 x_i, y_i라 하자. 각 상자에 빨간 공을 넣는 경우의 수는 아래 방정식의 음이 아닌 정수해의 개수와 같다.

$$x_1 + x_2 + x_3 = 6$$

또한, 각 상자에 파란 공을 넣는 경우의 수는 아래 방정식의 음이 아닌 정수해의 개수와 같다.

$$y_1 + y_2 + y_3 = 4$$

위 두 방정식으로부터, 각 상자에 빨간 공을 넣는 경우의 수는 $_3\mathrm{H}_6$이며, 각 상자에 파란 공을 넣는 경우의 수는 $_3\mathrm{H}_4$이다. 따라서 구하는 경우의 수는

$$_3\mathrm{H}_6 \cdot {}_3\mathrm{H}_4 = {}_8\mathrm{C}_6 \cdot {}_6\mathrm{C}_4 = 28 \cdot 15 = 420$$

이다.

(b) $i = 1, 2, 3$에 대하여, z_i를 상자 i에 넣은 빨간 공의 개수에서 파란 공의 개수를 뺀 값이라 하자. 즉 $z_i = x_i - y_i$이다. $z_i \geq 0 \, (i = 1, 2, 3)$일 때 모든 상자에서 빨간 공의 개수가 파란 공의 개수보다 같거나 많다. 따라서 구하는 경우의 수는 아래 방정식의 음이 아닌 정수해의 개수와 같다.

$$y_1 + y_2 + y_3 = 4$$
$$z_1 + z_2 + z_3 = 2$$

위 첫 번째 방정식의 음이 아닌 정수해의 개수는 $_3\mathrm{H}_4$이며, 두 번째 방정식의 음이 아닌 정수해의 개수는 $_3\mathrm{H}_2$이다. 따라서 구하는 경우의 수는 $_3\mathrm{H}_4 \cdot {}_3\mathrm{H}_2 = {}_6\mathrm{C}_4 \cdot {}_4\mathrm{C}_2 = 15 \cdot 6 = 90$이다.

[문제 3]

$t \neq 0$이면

$$e^{3t} - 2e^t + e^{-t} = e^{-t}(e^{4t} - 2e^{2t} + 1) = e^{-t}(e^{2t} - 1)^2 > 0$$

이다. 따라서 함수 $f(t) = e^t \ln(e^{3t} - 2e^t + e^{-t})$의 정의역은 $(-\infty, 0) \cup (0, \infty)$이다.

$x = e^t$으로 치환하면

$$\int_{\ln 2}^{\ln 3} f(t)dt = \int_{\ln 2}^{\ln 3} e^t \ln(e^{3t} - 2e^t + e^{-t})dt = \int_2^3 \ln(x^3 - 2x + x^{-1})dx$$

이다. $\ln xy = \ln x + \ln y$을 이용하면

$$\int_2^3 \ln(x^3 - 2x + x^{-1})dx = \int_2^3 \ln\{x^{-1}(x^4 - 2x^2 + 1)\}dx$$
$$= \int_2^3 \{\ln(x^{-1}) + \ln(x^4 - 2x^2 + 1)\}dx$$

이다. $\ln x^a = a\ln x$과 부분적분을 이용하면

$$\int_2^3 \ln(x^{-1})dx = -\int_2^3 \ln x\, dx = -[x\ln x]_2^3 + \int_2^3 1\, dx = -3\ln 3 + 2\ln 2 + 1$$

$$\int_2^3 \ln(x^4 - 2x^2 + 1)dx = \int_2^3 \ln\{(x-1)^2(x+1)^2\}dx$$
$$= 2\int_2^3 \ln(x-1)dx + 2\int_2^3 \ln(x+1)dx$$

을 얻는다. 부분적분을 이용하면

$$\int_2^3 \ln(x-1)dx = [(x-1)\ln(x-1)]_2^3 - \int_2^3 1\, dx = 2\ln 2 - 1\ln 1 - 1 = 2\ln 2 - 1$$

$$\int_2^3 \ln(x+1)dx = [(x+1)\ln(x+1)]_2^3 - \int_2^3 1\, dx = 4\ln 4 - 3\ln 3 - 1 = 8\ln 2 - 3\ln 3 - 1$$

이다. 정리하면

$$\int_2^3 \ln(x^3 - 2x + x^{-1})dx = \int_2^3 \{\ln(x^{-1}) + \ln(x^4 - 2x^2 + 1)\}dx$$

$$= -3\ln 3 + 2\ln 2 + 1 + 2(2\ln 2 - 1) + 2(8\ln 2 - 3\ln 3 - 1)$$

$$= 22\ln 2 - 9\ln 3 - 3$$

를 얻는다.

[문제 4]

(a) 두 초점을 $F_1 = (0, \sqrt{3})$과 $F_2 = (0, -\sqrt{3})$라 두면

제 1사분면 위의 점 $P\left(x, \sqrt{\dfrac{x^2}{2} + 1}\right)$에 대해

$\overrightarrow{\mathrm{PF_1}} = \left(-x, \ -\sqrt{\dfrac{x^2}{2}+1}+\sqrt{3}\right)$ 이고 $\overrightarrow{\mathrm{PF_2}} = \left(-x, \ -\sqrt{\dfrac{x^2}{2}+1}-\sqrt{3}\right)$ 이다.

따라서 $\overrightarrow{\mathrm{PF_1}} \cdot \overrightarrow{\mathrm{PF_2}} = \dfrac{3}{2}x^2 - 2$ 이고

$$\left|\overrightarrow{\mathrm{PF_1}}\right|\left|\overrightarrow{\mathrm{PF_2}}\right| = \sqrt{\left(\dfrac{3}{2}x^2+4\right)-2\sqrt{3}\sqrt{\dfrac{x^2}{2}+1}} \ \cdot \ \sqrt{\left(\dfrac{3}{2}x^2+4\right)+2\sqrt{3}\sqrt{\dfrac{x^2}{2}+1}}$$

$$= \sqrt{\dfrac{9}{4}x^4+6x^2+4} = \dfrac{3}{2}x^2+2$$

이다. $\overrightarrow{\mathrm{PF_1}} \cdot \overrightarrow{\mathrm{PF_2}} = \left|\overrightarrow{\mathrm{PF_1}}\right|\left|\overrightarrow{\mathrm{PF_2}}\right|\cos(\theta(x))$ **로부터**

$$\cos(\theta(x)) = \dfrac{3x^2-4}{3x^2+4} \quad \cdots\cdots (*)$$

이므로, $f(x) = 3x^2 - 4$, $g(x) = 3x^2 + 4$ **라 두면 된다.**

(b) $\left|\overrightarrow{\mathrm{PF_1}}\right| + \left|\overrightarrow{\mathrm{PF_2}}\right| = 8$ 이고 쌍곡선의 성질에 의해서 $\left|\overrightarrow{\mathrm{PF_2}}\right| - \left|\overrightarrow{\mathrm{PF_1}}\right| = 2$ 이므로 $\left|\overrightarrow{\mathrm{PF_1}}\right| = 3$ 이고 $\left|\overrightarrow{\mathrm{PF_2}}\right| = 5$ 이다. $\left|\overrightarrow{\mathrm{PF_1}}\right|\left|\overrightarrow{\mathrm{PF_2}}\right| = \dfrac{3}{2}x^2+2$ 로부터 $\dfrac{3}{2}x^2+2 = 15$ 이다. 점 P가 제 1사분면에 있으므로 $x = \dfrac{\sqrt{26}}{\sqrt{3}}$ 이다. 따라서 $(*)$ 로부터

$$\cos\left(\theta\left(\dfrac{\sqrt{26}}{\sqrt{3}}\right)\right) = \dfrac{11}{15}$$

이고

$$\sin\left(\theta\left(\dfrac{\sqrt{26}}{\sqrt{3}}\right)\right) = \dfrac{2\sqrt{26}}{15}$$

이다. 따라서 $(*)$의 양변을 미분하면

$$-\sin(\theta(x)) \cdot \theta'(x) = \dfrac{48x}{\left(3x^2+4\right)^2}$$

3. 2023학년도 서울시립대 수시 논술 (자연 Ⅰ)

[문제 1] (총 85점)

시립이는 아래와 같은 규칙으로 주사위를 반복해 던져서 나오는 눈의 수만큼 주머니에 공을 넣는 게임을 한다. 게임을 시작할 때 주머니에 있는 공의 개수는 0이다.

(1) 주머니에 있는 공의 개수가 5 이하이면 시립이는 주사위를 새로 던져서 나오는 눈의 수만큼 공을 넣는다.

(2) 주머니에 있는 공의 개수가 6 이상이면 시립이는 주사위를 던지는 것을 멈추고 게임을 끝낸다.

(a) 게임이 끝났을 때 주머니에 있는 공의 개수가 6일 확률 $\dfrac{q}{p}$를 구하여라. (단, p와 q는 서로소인 자연수이다.) (45점)

(b) 시립이가 주사위를 4번 던져서 게임이 끝났을 때 주머니에 있는 공의 개수가 6일 확률 $\dfrac{s}{r}$를 구하여라. (단, r과 s는 서로소인 자연수이다.) (40점)

[문제 2] (95점)

함수 $f(x) = -x^3 - x + 3$의 역함수 $g(x)$에 대하여 연속함수 $h(x)$가 다음 조건을 모두 만족시킨다.

$$(1) \ h(x) = \begin{cases} 3x & (0 \le x < 1) \\ 4g'(x) + 4 & (1 \le x < 3) \end{cases}$$

(2) 모든 실수 x에 대하여 $h(x+3) = h(x)$이다.

정적분 $\displaystyle\int_0^6 xh(x)dx$의 값을 구하여라.

[문제 3] (105점)

다음을 만족시키는 서로 다른 세 자연수 a, b, c의 모든 순서쌍 (a, b, c)의 개수를 구하여라.

$$\log_2(a + 4b) + 2\log_2 c - \log_2 3 = 100$$

[문제 4] (총 115점)

좌표평면 위의 두 점 $\mathrm{F}(5, 0)$, $\mathrm{F}'(-5, 0)$을 초점으로 하는 타원 C_1과 두 점 F, F'을 초점으로 하는 쌍곡선 C_2가 있다. 두 곡선 C_1, C_2의 제1사분면 위의 교점 P에 대하여 $\overline{\mathrm{PF}} \times \overline{\mathrm{PF}'} = 20$일 때, 다음에 답하여라.

(a) $\dfrac{\overline{\mathrm{PF}}}{\overline{\mathrm{PF}'}}$의 값의 범위를 구하여라. (75점)

(b) $\angle \mathrm{FPF}' = \dfrac{\pi}{3}$일 때, $\dfrac{\overline{\mathrm{PF}}}{\overline{\mathrm{PF}'}}$의 값을 구하여라. (40점)

[문제 1]
(a) $1 \le k \le 6$에 대하여 주사위를 k번 던져서 주머니에 있는 공의 개수가 6이 되는 경우의 수는 방정식 $a_1 + a_2 + \cdots + a_k = 6$에서 $a_1, a_2, \cdots, a_k$가 모두 6 이하의 자연수인 해의 개수와 같다. 이는 방정식 $z_1 + z_2 + \cdots + z_k = 6 - k$에서 $z_1, z_2, \cdots, z_k$가 모두 음이 아닌 정수인

해의 개수와 같으므로 $_kH_{6-k}$이다. 따라서 주사위를 k번 던져서 주머니에 있는 공의 개수가 6일 확률은

$$\frac{_kH_{6-k}}{6^k} = \frac{_5C_{6-k}}{6^k} = \frac{_5C_{k-1}}{6^k}$$

이다. 그러므로 게임이 끝났을 때 주머니에 있는 공의 개수가 6일 확률은

$$\sum_{k=1}^{6} \frac{_5C_{k-1}}{6^k} = \frac{1}{6}\sum_{k=0}^{5}\frac{_5C_k}{6^k} = \frac{1}{6}\left(1 + \frac{1}{6}\right)^5 = \frac{7^5}{6^6}$$

이다.

(b) 게임이 끝났을 때 주머니에 있는 공의 개수가 6인 사건을 A라 하고 주사위를 4번 던져서 게임이 끝나는 사건을 B라 하자. (a)와 마찬가지로 $3 \le n \le 5$에 대하여 주사위를 3번 던져서 주머니에 있는 공의 개수가 n이 되는 경우의 수는 $_3H_{n-3}$이다. 따라서 주사위를 3번 던져서 주머니에 있는 공의 개수가 n이 될 확률은

$$\frac{_3H_{n-3}}{6^3} = \frac{_{n-1}C_{n-3}}{6^3} = \frac{_{n-1}C_2}{6^3}$$

이다. 주사위를 3번 던져서 주머니에 있는 공의 개수가 $n\,(3 \le n \le 5)$일 때, 다음 주사위를 던져 나오는 눈의 수가 $6-n$ 이상이면 게임이 끝나고 주사위를 던진 횟수가 4가 된다. 따라서 사건 B가 일어날 확률은

$$P(B) = \frac{_2C_2}{6^3} \times \frac{4}{6} + \frac{_3C_2}{6^3} \times \frac{5}{6} + \frac{_4C_2}{6^3} \times \frac{6}{6} = \frac{55}{6^4}$$

이다. $P(A \cap B)$는 주사위를 4번 던져서 주머니에 있는 공의 개수가 6일 확률이므로 $P(A \cap B) = \frac{_4H_2}{6^4} = \frac{10}{6^4}$ 이다.

따라서

$$P(A \mid B) = \frac{P(A \cap B)}{P(B)} = \frac{2}{11}$$

이다.

[문제 2]
주어진 정적분을 조건 (2)를 이용해서 정리하면

$$\int_0^6 xh(x)dx = \int_0^3 xh(x)dx + \int_3^6 xh(x)dx = \int_0^3 xh(x)dx + \int_0^3 (x+3)h(x)dx$$

$$= 2\int_0^3 xh(x)dx + 3\int_0^3 h(x)dx$$

이다.
$f(1)=1$이므로 $g(1)=1$이고 $f(0)=3$이므로 $g(3)=0$이다. 함수 $f(x)$와 함수 $g(x)$가 서로 역함수 관계이므로

74

$$\int_1^3 g(x)dx = \int_0^1 f(x)dx - 1 = \frac{5}{4}$$

이고

$$\int_1^3 xg'(x)dx = [xg(x)]_1^3 - \int_1^3 g(x)dx = -\frac{9}{4}$$

이다. 따라서

$$\int_0^3 xh(x)dx = \int_0^1 3x^2 dx + \int_1^3 x\{4g'(x)+4\}dx = 8$$

이고

$$\int_1^3 h(x)dx = \int_0^1 3x dx + \int_1^3 \{4g'(x)+4\}dx = \frac{3}{2} + 4\{g(3)-g(1)\} + 8 = \frac{11}{2}$$

이다. 구하는 정적분의 값은

$$\int_0^6 xh(x)dx = 2 \cdot 8 + 3 \cdot \frac{11}{2} = \frac{65}{2}$$

이다.

[문제 3]

조건에서 주어진 식을 정리하면

$$(a+4b)c^2 = 3 \cdot 2^{100} \quad \cdots\cdots \ ①$$

이다. 따라서 $c = 2^r \ (r = 0, 1, \cdots, 49)$이다. $r = 0, 1, \cdots, 49$에 대해

$$a = 4 \cdot (3 \cdot 2^{98-2r} - b)$$

이므로 ①을 만족시키는 순서쌍의 개수는 $3 \cdot 2^{98-2r} - 1$이다. 따라서 ①을 만족시키는 자연수의 모든 순서쌍의 개수는

$$\sum_{r=0}^{49} (3 \cdot 2^{98-2r} - b) = 2^{100} - 51$$

이다.

a, b, c는 서로 다른 세 자연수이므로 아래 (i), (ii), (iii), (iv)를 생각해야 한다.

(i) $a = b$인 경우

$a+4b = 5a$이므로 ①의 좌변은 5의 배수이지만 우변은 5의 배수가 아니다. 따라서 ①을 만족시키는 자연수의 순서쌍은 없다.

(ii) $a = c$인 경우

$(a+4b)a^2 = 3 \cdot 2^{100}$이므로 $a^3 < 3 \cdot 2^{100}$이고 $a = 2^r \ (r = 0, 1, \cdots, 33)$이다. 이때

$$b = 3 \cdot 2^{98-2r} - 2^{r-2}$$

이고 b는 자연수이므로 $r = 2, 3, \cdots, 33$이다. 따라서 구하는 순서쌍의 개수는 32이다.

(iii) $b = c$ 인 경우

$(a+4b)b^2 = 3 \cdot 2^{100}$**이므로** $4b^3 < 3 \cdot 2^{100}$**이고** $b = 2^r$ $(r = 0, 1, \cdots, 33)$**이다. 이때**

$$a = 3 \cdot 2^{100-2r} - 2^{r+2}$$

이고 a**는 자연수이므로** $r = 0, 1, 2, \cdots, 33$**이다. 따라서 구하는 순서쌍의 개수는** 34**이다.**

(iv) $a = b = c$**인 경우**

(i)에 의해서 ①을 만족시키는 자연수의 순서쌍은 없다.

따라서 구하는 순서쌍 (a, b, c)**의 개수는**

$$2^{100} - 51 - 32 - 34 = 2^{100} - 117$$

이다.

[문제 4]

(a) 두 점 F, F′을 초점으로 하는 타원 C_1**의 방정식을** $\dfrac{x^2}{a^2} + \dfrac{y^2}{b^2} = 1$ **(단,** $a > 5$**,**

$b^2 = a^2 - 25$**), 쌍곡선** C_2**의 방정식을** $\dfrac{x^2}{c^2} - \dfrac{y^2}{d^2} = 1$ **(단,** $5 > c > 0$**,** $d^2 = 25 - c^2$**)이라 하**

자. 타원과 쌍곡선의 정의로부터 $\overline{\text{PF}} + \overline{\text{PF}'} = 2a$**이고 방정식을** $\overline{\text{PF}'} - \overline{\text{PF}} = 2c$ **이므로**

$\overline{\text{PF}} = a - c$**이고** $\overline{\text{PF}'} = a + c$**이다.** $\overline{\text{PF}'} + \overline{\text{PF}} = 20$**이므로** $a^2 = c^2 + 20$**이다. 또한, 타원**

C_1**에서** $a > 5$**이고 쌍곡선** C_2**에서** $0 < c < 5$**이므로** $\sqrt{5} < c < 5$**이다.**

$a^2 = c^2 + 20$**이므로**

$$\frac{\overline{\text{PF}}}{\overline{\text{PF}'}} = \frac{\overline{\text{PF}}^2}{\overline{\text{PF}} \times \overline{\text{PF}'}} = \frac{(a-c)^2}{20} = \frac{\left(\sqrt{c^2+20} - c\right)^2}{200}$$

이다. $f(t) = \sqrt{t^2 + 20} - t$**라 하면** $f(t) > 0$**이고** $f'(t) = \dfrac{t}{\sqrt{t^2 + 20}} - 1 < 0$**이다. 따라서**

$\dfrac{\{f(t)\}^2}{20}$**은 감소함수이다.**

$\sqrt{5} < c < 5$**일 때** $\dfrac{\{f(5)\}^2}{20} < \dfrac{\overline{\text{PF}}}{\overline{\text{PF}'}} < \dfrac{\{f(\sqrt{5})\}^2}{20}$**이므로** $\dfrac{\overline{\text{PF}}}{\overline{\text{PF}'}}$**의 범위는**

$$\frac{7 - 3\sqrt{5}}{2} < \frac{\overline{\text{PF}}}{\overline{\text{PF}'}} < \frac{3 - \sqrt{5}}{2}$$

이다.

(b) $\overline{\text{FF}'} = 10$**이므로 코사인법칙에 의하여**

$$100 = \overline{\text{PF}}^2 + \overline{\text{PF}'}^2 - 2\overline{\text{PF}} \times \overline{\text{PF}'} \times \cos\frac{\pi}{3} = \overline{\text{PF}}^2 + \overline{\text{PF}'}^2 - 20 = (a-c)^2 + (a+c)^2 - 20$$

이다. 위 식을 정리하면 $a^2 + c^2 = 60$**이다.** $a^2 = c^2 + 20$**이므로** $a^2 = 40$**,** $c^2 = 20$**이다.**

4. 2023학년도 서울시립대 수시 논술 (자연 Ⅱ)

[문제 1] (85점)

함수 $f(x) = x^3 + ax^2 + bx + 1$일 때, 모든 실수 x에 대하여 $f'(x) \neq 0$이면서 다음을 만족시키는 곡선 $y = f(x)$ 위의 점 P의 개수가 2가 되도록 하는 실수 a, b의 조건을 구하여라.

> 곡선 $y = f(x)$ 위의 점 $P(p, q)$에서의 접선을 l_1이라 하고, 점 P를 지나고 직선 l_1에 수직인 직선을 l_2라 하자.

직선 l_2와 y축의 교점을 Q라 할 때, $\overline{PQ} = 2|p| > 0$이다.

[문제 2] (95점)

세 점 P, Q, R은 한 변의 길이가 1인 정삼각형의 세 변 위를 시계 반대 방향으로 움직인다. 세 점 P, Q, R은 시각 $t = 0$일 때 한 꼭짓점에서 동시에 출발하며 순서대로 1, $\sqrt{2}$, 2의 일정한 속력으로 움직인다. 시각 $t = \sqrt{2}$에서 시각 $t = 2$까지 세 점 P, Q, R이 움직일 때, 삼각형 PQR의 넓이가 최대가 되는 시각과 최소가 되는 시각을 각각 구하여라.

[문제 3] (105점)

다음 그림과 같이 12개의 칸에 번호를 붙인 보관함을 흰 구슬 5개와 검은 구슬 7개로 빈칸 없이 채우려고 한다.

1	2	3
4	5	6
7	8	9
10	11	12

보관함의 적어도 한 개의 가로줄 또는 세로줄을 같은 색의 구슬로 채우는 경우의 수를 구하여라. (단, 보관함의 한 칸에는 구슬 한 개만 넣을 수 있다.)

[문제 4] (115점)

모든 자연수 n에 대하여 다음 부등식이 성립함을 보여라.

$$\sum_{k=1}^{n} \left\{ \frac{1}{k+1} + \frac{1}{2(k+1)^2} \right\} \leq \ln(n+1) \leq \sum_{k=1}^{n} \frac{1}{2} \left(\frac{1}{k} + \frac{1}{k+1} \right)$$

$f'(x) = 3x^2 + 2ax + b$가 모든 x에 대해 0이 아니므로, 모든 x에 대해 $f'(x) > 0$이다. 따라서, $a^2 - 3b < 0$이다. 또한, 직선 l_2는 $y = -\dfrac{1}{3p^2 + 2ap + b}(x - p) + q$이며, 점 Q는 $\left(0, \dfrac{p}{3p^2 + 2ap + b} + q\right)$이다. 문제의 조건에서 $\overline{PQ} = 2|p|$를 만족시켜야 하므로

$$\sqrt{p^2 + \frac{p^2}{(3p^2 + 2ap + b)^2}} = 2|p|$$

가 성립한다. 조건에서 $p \neq 0$이므로 위 식을 정리하면 $3p^2 + 2ap + b = \pm\dfrac{1}{\sqrt{3}}$이다. 또한 $f'(p) = 3p^2 + 2ap + b > 0$이므로 $3p^2 + 2ap + b = \dfrac{1}{\sqrt{3}}$이다. 이 이차방정식의 해가 서로 다른 두 실근일 조건은 $a^2 - 3b > -\sqrt{3}$이다.

한편, $b = \dfrac{1}{\sqrt{3}}$이면 이차방정식 $3p^2 + 2ap + b = \dfrac{1}{\sqrt{3}}$의 한 근이 $p = 0$이므로 주어진 조건을 만족시키는 점 P는 하나만 존재한다. 따라서 구하는 조건은

$$-\sqrt{3} < a^2 - 3b < 0, \quad b \neq \frac{1}{\sqrt{3}}$$

이다.

[문제 2]

$\sqrt{2} \leq t \leq 2$에 대하여 삼각형 PQR의 넓이를 $S(t)$라 하자. $t = \dfrac{3}{2}$일 때 점 R이 삼각형의 한 꼭짓점에 있으므로 $\sqrt{2} \leq t \leq \dfrac{3}{2}$와 $\dfrac{3}{2} \leq t \leq 2$로 나누어 $S(t)$를 구한다.

(i) $\sqrt{2} \leq t \leq \dfrac{3}{2}$인 경우

$\sqrt{2} \leq t \leq \dfrac{3}{2}$인 경우 세 점 P, Q, R은 아래의 그림처럼 위치하게 된다. 따라서 삼각형 PQR의 넓이는

$$S(t) = \frac{1}{2}(2t - \sqrt{2}\,t)(2 - t)\sin\frac{\pi}{3} = \frac{\sqrt{3}\,(2 - \sqrt{2})}{4}(-t^2 + 2t)$$

이다. 따라서 주어진 구간에서 $S(t)$는 감소한다.

(ii) $\dfrac{3}{2} \leq t \leq 2$인 경우

$\dfrac{3}{2} \leq t \leq 2$인 경우 세 점 P, Q, R이 아래의 그림처럼 위치하고, 삼각형 PQR의 넓이는

$$S(t) = \frac{1}{2}\sin\frac{\pi}{3} - \frac{1}{2}(2t-3)(3-\sqrt{2}t)\sin\frac{\pi}{3} - \frac{1}{2}(4-2t)(t-1)\sin\frac{\pi}{3} - \frac{1}{2}(\sqrt{2}t-2)(2-t)\sin\frac{\pi}{3}$$

$$= \frac{\sqrt{3}}{4}\left\{(2+3\sqrt{2})t^2 - (14+5\sqrt{2})t + 18\right\}$$

이다. 이차함수 $f(t) = \frac{\sqrt{3}}{4}\left\{(2+3\sqrt{2})t^2 - (14+5\sqrt{2})t + 18\right\}$는

$t = t_0 = \dfrac{14+5\sqrt{2}}{2(2+3\sqrt{2})} = \dfrac{1+16\sqrt{2}}{14}$일 때 최솟값을 가진다.

$\frac{3}{2} < t_0 < 2$이므로 $S(t)$는 $\frac{3}{2} \le t \le t_0$에서 감소하고 $t_0 \le t \le 2$에서 증가한다.

(i)과 (ii)에 의하여 $S(t)$는 $\sqrt{2} \le t \le 2$에서 $t = t_0$일 때 최솟값을 갖고 $t = \sqrt{2}$ 또는 2 일 때 최댓값을 갖는다.

$$S(2) - S(\sqrt{2}) = \frac{\sqrt{3}}{2}(\sqrt{2}-1) - \frac{\sqrt{3}}{2}(3\sqrt{2}-4) = \frac{\sqrt{3}}{2}(3-2\sqrt{2}) > 0$$

이므로 $S(t)$가 최대가 되는 시각은 2이고 최소가 되는 시각은 $\dfrac{1+16\sqrt{2}}{14}$이다.

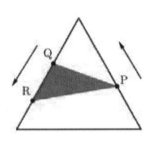

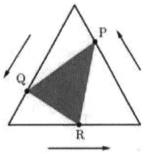

(i) $\sqrt{2} \le t \le \frac{3}{2}$ (ii) $\frac{3}{2} \le t \le 2$

[문제 3]
흰 구슬로 채워진 한 개의 가로줄이 있으면 나머지 9개의 칸에 7개의 검은 구슬을 넣어야 하므로 검은 구슬로 채워진 가로줄이 적어도 하나 존재한다. 흰 구슬로 채워진 한 개의 세로줄이 있으면 나머지 8개의 칸에 7개의 검은 구슬을 넣어야 하므로 검은 구슬로 채워진 세로줄이 적어도 하나 존재한다. 따라서 검은 구슬로 가로줄 또는 세로줄을 채우는 경우의 수만 생각해도 된다. 검은 구슬은 7개이므로 가로줄은 최대 2개, 세로줄은 최대 1개 채울 수 있다.

(i) 검은 구슬로 가로줄 중 한 개만 채우는 경우
4개의 가로줄 중 검은 구슬로 채워질 한 개의 가로줄을 선택하는 경우의 수가 $_4C_1$이다. 나머지 9개의 칸에 남은 4개의 검은 구슬을 넣는 경우의 수는 $_9C_4$이다. 여기서 나머지 9개의 칸에 검은 구슬로 한 개의 가로줄을 채우는 경우를 제외해야 하므로 $_3C_1 \times _6C_1$을 빼

야 한다. 따라서 구하는 경우의 수는 $_4C_1 \times (_9C_4 - _3C_1 \times _6C_1) = 432$이다.

(ii) 검은 구슬로 가로줄 중 두 개를 채우는 경우

4개의 가로줄 중 검은 구슬로 채워질 두 개의 가로줄을 선택하는 경우의 수가 $_4C_2$이다. 나머지 6개의 칸에 남은 1개 의 검은 구슬을 넣는 방법의 수는 $_6C_1$이다. 따라서 구하는 경우의 수는 $_4C_2 \times _6C_1 = 36$이다.

(iii) 검은 구슬로 세로줄 중 한 개를 채우는 경우

3개의 세로줄 중 검은 구슬로 채워질 하나의 세로줄을 선택하는 경우의 수가 $_3C_1$이고 나머지 8개의 칸에 남은 3개의 검은 구슬을 채우는 방법의 수는 $_8C_3$이다. 따라서 구하는 경우의 수는 $_3C_1 \times _8C_3 = 168$이다.

(iv) 검은 구슬로 한 개의 가로줄과 한 개의 세로줄을 채우는 경우

3개의 세로줄 중 검은 구슬로 채워질 한 개의 세로줄을 선택하는 경우의 수가 $_3C_1$이고, 4개의 가로줄 중 검은 구슬로 채워질 한 개의 가로줄을 선택하는 경우의 수가 $_4C_1$이다. 나머지 6개의 칸에 남은 1개의 검은 구슬을 넣는 방법의 수는 $_6C_1$이므로 구하는 경우의 수는 $_3C_1 \times _4C_1 \times _6C_1 = 72$이다.

(iv)는 (i)과 (iii)에 중복으로 포함되므로 구하는 경우의 수는 $432 + 36 + 168 - 72 = 564$이다.

[문제 4]

자연수 k에 대해 닫힌구간 $[k, k+1]$을 생각하자. $y = f(x)$를 곡선 $y = \dfrac{1}{x}$ 위의 점 $\left(k+1, \dfrac{1}{k+1}\right)$에서의 접선이라 하고, $y = g(x)$를 곡선 $y = \dfrac{1}{x}$ 위의 두 점 $\left(k, \dfrac{1}{k}\right)$와 $\left(k+1, \dfrac{1}{k+1}\right)$을 지나는 직선이라 하자. 그러면

$$f(x) = -\frac{1}{(k+1)^2}\{x - (k+1)\} + \frac{1}{k+1}$$
$$g(x) = -\frac{1}{k(k+1)}(x - k) + \frac{1}{k}$$

이다. 이때 닫힌구간 $[k, k+1]$에서 $\dfrac{1}{x} - f(x) = \dfrac{(x-k-1)^2}{x(k+1)^2} \geq 0$이고

$g(x) - \dfrac{1}{x} = -\dfrac{(x-k)(x-k-1)}{xk(k+1)} \geq 0$이다.

즉, 닫힌구간 $[k, k+1]$에서 $f(x) \leq \dfrac{1}{x} \leq g(x)$이므로

$$\int_k^{k+1} f(x)dx \leq \int_k^{k+1} \frac{1}{x}dx \leq \int_k^{k+1} g(x)dx$$

이다. 이때

$$\int_k^{k+1} f(x)dx = \int_k^{k+1}\left[-\frac{1}{(k+1)^2}\{x-(k+1)\}+\frac{1}{k+1}\right]dx = \frac{1}{k+1}+\frac{1}{2(k+1)^2}$$

$$\int_k^{k+1} g(x)dx = \int_k^{k+1}\left\{-\frac{1}{k(k+1)}(x-k)+\frac{1}{k}\right\}dx = \frac{1}{2}\left(\frac{1}{k}+\frac{1}{k+1}\right)$$

$$\int_k^{k+1}\frac{1}{x}dx = \ln(k+1)-\ln k$$

이므로

$$\frac{1}{k+1}+\frac{1}{2(k+1)^2} \leq \ln(k+1)-\ln k \leq \frac{1}{2}\left(\frac{1}{k}+\frac{1}{k+1}\right)$$

이다. 위의 부등식에 의하여

$$\sum_{k=1}^{n}\left\{\frac{1}{k+1}+\frac{1}{2(k+1)^2}\right\} \leq \ln(n+1) \leq \sum_{k=1}^{n}\frac{1}{2}\left(\frac{1}{k}+\frac{1}{k+1}\right)$$

이 성립한다.

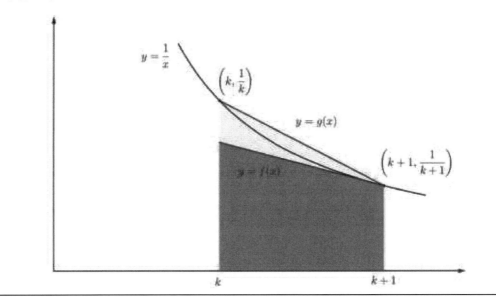

5. 2023학년도 서울시립대 모의 논술

[문제 1] (85점)

쌍곡선 $\dfrac{x^2}{9}-\dfrac{y^2}{16}=1$위의 점 P와 이 쌍곡선의 두 초점 F_1, F_2에 대하여 $\dfrac{\overline{PF_2}}{\overline{PF_1}}=\dfrac{29}{11}$일

때, 세 점 P, F_1, F_2를 지나는 이차함수의 그래프와 선분 $\overline{PF_2}$로 둘러싸인 부분의 넓이를 구하여라. (단, 점 P는 제 1사분면 위의 점이다.)

[문제 2] (총 95점)

어떤 주머니에 흰 공, 빨간 공, 파란 공들이 들어있다. 이 주머니에서 다음의 규칙을 따르는 시행을 한다.

> 주머니에서 임의로 한 개의 공을 꺼내어 그 색을 확인하고 같은 색의 공을 한 개 추가 하여 뽑은 공과 함께 주머니에 다시 넣는다.

처음에 흰 공 2개, 빨간 공 1개, 파란 공 1개가 들어있는 주머니에 대해, 이 시행을 7회 반복한 후, 주머니에 들어있는 공이 11개가 되면 멈춘다. 주머니에 있는 11개의 공 중에서 7개가 흰 공, 2개가 빨간 공, 2개가 파란 공인 사건을 A라 할 때, 다음 물음에 답하여라.

(a) 사건 A가 일어날 확률을 구하여라. (40점)

(b) 사건 A가 일어났을 때, 7회의 각 시행 후에 주머니에 있는 흰 공의 개수가 항상 나머지 공의 개수보다 크거나 같을 조건부 확률을 구하여라. (55점)

[문제 3] (105점)

실수 전체의 집합에서 미분가능한 두 함수 $f(x)$와 $g(x)$가 다음 조건을 모두 만족시킬 때, $\{f(1)\}^2 + \{g(1)\}^2$의 값을 구하여라.

> (1) $\displaystyle\int_0^x e^t f(t)dt = \frac{e^x\{f(x)-g(x)\}+1}{2}$
>
> (2) $\displaystyle\int_0^x e^t g(t)dt = \frac{e^x\{f(x)+g(x)\}-1}{2}$

[문제 4] (115점)

그림과 같이 길이가 2인 선분 AB를 지름으로 하는 반원이 있다. 호 AB 위에 두 점 P, Q를 $\angle \text{PAB}=\theta$, $\angle \text{QBA}=3\theta$가 되도록 잡고, 두 선분 AP, BQ의 교점을 R이라 하자. 삼각형 PQR의 내접원의 반지름의 길이를 $r(\theta)$라 할 때, $\displaystyle\lim_{\theta\to 0+}\frac{r(\theta)}{\theta}$의 값을 구하여라.

(단, $0<\theta<\dfrac{\pi}{8}$이다.)

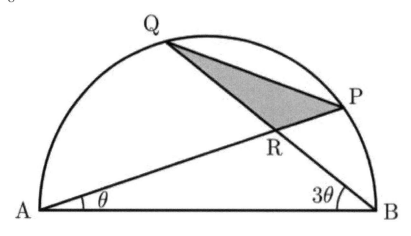

[문제 1]

$\dfrac{\overline{PF_2}}{\overline{PF_1}} = \dfrac{29}{11} > 1$로부터 $\overline{PF_2} > \overline{PF_1}$이므로 $F_1(5,\ 0)$, $F_2(-5,\ 0)$이다. 쌍곡선의 정의에

의하여 $\overline{PF_2} - \overline{PF_1} = 2 \cdot 3 = 6$이므로 $\dfrac{\overline{PF_2}}{\overline{PF_1}} = \dfrac{29}{11}$과 연립하여 풀면 $\overline{PF_1} = \dfrac{11}{3}$이다.

$\overline{PF_1} = \sqrt{(x-5)^2 + (y-0)^2} = \dfrac{11}{3}$에서 $y^2 = -x^2 + 10x - \dfrac{104}{9}$이고, 점 $P(x,\ y)$는 쌍곡선 위

의 점이므로 $\dfrac{x^2}{9} - \dfrac{y^2}{16} = 1$로부터 $5x^2 - 18x - 8 = (5x+2)(x-4) = 0$이다. 점 P는 제 1사

분면 위의 점이므로 $x = 4$이고, $y = \dfrac{4}{3}\sqrt{7}$이다. 따라서 점 P의 좌표는 $\left(4,\ \dfrac{4}{3}\sqrt{7}\right)$이다.

세 점 P, F_1, F_2를 지나는 이차함수는 $y = -\dfrac{4}{27}\sqrt{7}(x^2 - 25)$이므로 구하고자 하는 부분의

영역의 넓이는

$$\int_{-5}^{4} -\frac{4}{27}\sqrt{7}(x^2 - 25)dx - \frac{1}{2} \cdot (4 - (-5)) \cdot \frac{4}{3}\sqrt{7} = 18\sqrt{7}$$

이다.

[문제 2]

(a) 사건 A가 일어나기 위해서는 흰 공을 5회, 빨간 공을 1회, 파란 공을 1회 뽑아야 한다. 이와 같이 공을 뽑는 순열의 수는 $\dfrac{7!}{5!1!1!} = 42$이다. 각 순열이 발생할 확률은 뽑힌 공의 색의 순서와 상관없이 서로 같으며, 그 확률은 $\dfrac{2 \cdot 3 \cdot 4 \cdot 5 \cdot 6 \cdot 1 \cdot 1}{4 \cdot 5 \cdot 6 \cdot 7 \cdot 8 \cdot 9 \cdot 10} = \dfrac{1}{840}$이다. 따라서, $P(A) = \dfrac{42}{840} = \dfrac{1}{20}$이다.

(b) 7회의 각 시행 후에 적어도 한 번은 주머니 속의 흰 공의 개수가 나머지 공의 개수보다 작은 사건을 B라 하자. 첫 시행에서 뽑힌 공의 색에 따라 경우를 나누어, 사건 $A \cap B$가 일어나는 경우의 수를 구해보자.

(i) 첫 시행에서 빨간 공을 뽑았을 때: 이후의 시행에서 파란 공을 1번, 흰 공을 5번 뽑으면 사건 $A \cap B$가 일어난다.

(ii) 첫 시행에서 파란 공을 뽑았을 때: 이후의 시행에서 빨간 공을 1번, 흰 공을 5번 뽑으면 사건 $A \cap B$가 일어난다.

(iii) 첫 시행에서 흰 공을 뽑았을 때: 두 번째와 세 번째의 시행 모두에서 흰 공이 아닌 공을 뽑고, 이후의 시행에서는 모두 흰 공을 뽑으면 사건 $A \cap B$가 일어난다.

위의 (i)의 경우의 수는 6이고, (ii)의 경우의 수도 6이다. 또한 (iii)의 경우의 수는 2이다. 따라서, 사건 $A \cap B$가 일어나도록 공을 뽑는 순열의 수는 14이다. 이때 각 경우가

일어날 확률은 $\dfrac{1}{840}$이므로, $\mathrm{P}(A\cap B)=\dfrac{14}{840}=\dfrac{1}{60}$이다. 또한,

$$\mathrm{P}(A\cap B^{C})=\mathrm{P}(A)-\mathrm{P}(A\cap B)=\dfrac{1}{20}-\dfrac{1}{60}=\dfrac{1}{30}$$

이므로, 구하는 확률은

$$\mathrm{P}(B^{q}|A)=\dfrac{\mathrm{P}(A\cap B^{C})}{\mathrm{P}(A)}=\dfrac{2}{3}$$

이다.

[문제 3]

조건

(1)과 (2)에 $x=0$을 대입하여 정리하면 $f(0)=0$이고 $g(0)=1$이다. 부분적분법에 의해 $\displaystyle\int_{0}^{x}e^{t}f(t)dt=e^{x}f(x)-\int_{0}^{x}e^{t}f'(t)dt$이므로 조건 (1)과 (2)에 의해

$$\int_{0}^{x}e^{t}f'(t)dt=\dfrac{e^{x}\{f(x)+g(x)\}-1}{2}=\int_{0}^{x}e^{t}g(t)dt$$

이다. 모든 실수 x에 대해 $\displaystyle\int_{0}^{x}e^{t}\{f'(t)-g(t)\}dt=0$이므로 정적분과 미분의 관계에 의해 $e^{x}\{f'(x)-g(x)\}=0$이다. 따라서 모든 실수 x에 대해 $f'(x)=g(x)$이다. 마찬가지로 $\displaystyle\int_{0}^{x}e^{t}g(t)dt=\{e^{x}g(x)-1\}-\int_{0}^{x}e^{t}g'(t)dt$이므로 모든 실수 x에 대해 $g'(x)=-f(x)$이다.

함수 $h(x)=\{f(x)\}^{2}+\{g(x)\}^{2}$라 하면, $h(x)$는 모든 실수 x에 대하여 미분가능하고
$$h'(x)=2f'(x)f(x)+2g'(x)g(x)=2g(x)f(x)-2f(x)g(x)=0$$
이므로 $h(x)$는 상수함수이다. $f(0)=0$이고 $g(0)=1$이므로
$$h(0)=\{f(0)\}^{2}+\{g(0)\}^{2}=1$$
이다. 따라서 모든 실수 x에 대해
$$\{f(x)\}^{2}+\{g(x)\}^{2}=h(x)=h(0)=1$$
이고
$$\{f(1)\}^{2}+\{g(1)\}^{2}=1$$
이다.

[문제 4]

원주각의 성질로부터 $\angle\mathrm{PAB}=\angle\mathrm{PQB}$, $\angle\mathrm{QBA}=\angle\mathrm{QPA}$이므로 $\triangle\mathrm{BAR}$과 $\triangle\mathrm{PQR}$은 서로 닮았고, 이때 닮음비는 $\overline{\mathrm{BR}}:\overline{\mathrm{RP}}$이다. $\triangle\mathrm{BAR}$의 내접원의 반지름의 길이를 $s(\theta)$라고 하면, $\triangle\mathrm{BAR}$의 넓이는 $\dfrac{s(\theta)}{2}(\overline{\mathrm{AB}}+\overline{\mathrm{BR}}+\overline{\mathrm{RA}})$이고 $\triangle\mathrm{PQR}$의 넓이는 $\dfrac{r(\theta)}{2}(\overline{\mathrm{QR}}+\overline{\mathrm{RP}}+\overline{\mathrm{PQ}})$이므로,

$$\frac{s(\theta)}{2}(\overline{AB}+\overline{BR}+\overline{RA}) : \frac{r(\theta)}{2}(\overline{QR}+\overline{RP}+\overline{PQ}) = \overline{BR}^2 : \overline{RP}^2$$

이다. 즉 $r(\theta) = s(\theta)\dfrac{\overline{RP}}{\overline{BR}}$ 이다.

$\triangle$BAR에서 사인법칙에 의해 $\dfrac{2}{\sin(\pi-4\theta)} = \dfrac{\overline{RA}}{\sin 3\theta} = \dfrac{\overline{BR}}{\sin\theta}$ 이므로

$\overline{RA} = \dfrac{2\sin 3\theta}{\sin 4\theta}$, $\overline{BR} = \dfrac{2\sin\theta}{\sin 4\theta}$ 이다. $\triangle$BAR의 넓이는

$\dfrac{s(\theta)}{2}(\overline{AB}+\overline{BR}+\overline{RA}) = \dfrac{1}{2}\overline{AB}\,\overline{RA}\sin\theta$ 이고 $\overline{AB}=2$이므로

$$s(\theta) = \frac{2\sin 3\theta\sin\theta}{\sin 4\theta + \sin\theta + \sin 3\theta}$$

이다. 그리고 $\triangle$ABP는 $\angle$APB가 직각인 직각삼각형이므로 $\overline{AP}=2\cos\theta$이고,

$\overline{RP} = \overline{AP} - \overline{RA} = 2\cos\theta - \dfrac{2\sin 3\theta}{\sin 4\theta}$ 이다. 따라서

$$r(\theta) = s(\theta)\frac{\overline{RP}}{\overline{BR}} = \frac{2\sin 3\theta\sin\theta}{\sin 4\theta + \sin\theta + \sin 3\theta}\cdot\left(2\cos\theta - \frac{2\sin 3\theta}{\sin 4\theta}\right)\cdot\frac{\sin 4\theta}{2\sin\theta}$$

이므로

$$\lim_{\theta\to 0+}\frac{r(\theta)}{\theta} = \lim_{\theta\to 0+}\left(2\cdot\frac{\sin 3\theta}{\theta}\cdot\frac{1}{\frac{\sin 4\theta}{\sin\theta}+1+\frac{\sin 3\theta}{\sin\theta}}\cdot\left(2\cos\theta - \frac{2\sin 3\theta}{\sin 4\theta}\right)\cdot\frac{\sin 4\theta}{2\sin\theta}\right) = \frac{3}{4}$$

이다.

6. 2022학년도 서울시립대 수시 논술 (자연 Ⅰ)

[문제 1] (총 85점)

좌표평면에서 곡선 $y = x - x^2$의 네 점 O$(0, 0)$, A$(a,\ a-a^2)$, B$(b,\ b-b^2)$, C$(1, 0)$에 대하여 다음 물음에 답하여라. (단, $0 < b < a < 1$이다.)

(a) 점 B가 곡선에서 두 점 O와 A사이를 움직일 때, 삼각형 OAB의 넓이의 최댓값을 a에 대한 식으로 나타내어라. (25점)

(b) 두 점 A, B가 곡선에서 두 점 O와 C사이를 움직일 때, 사각형 ABOC의 넓이의 최댓값을 구하여라. (60점)

[문제 2] (총 95점)

한 개의 주사위를 6번 던질 때, 다음 물음에 답하여라.

(a) 3의 배수의 눈이 연속해서 나오지 않을 확률을 기약분수로 나타내어라. (45점)

(b) 적어도 한 번은 2이하의 눈이 나왔을 때, 3의 배수의 눈이 연속해서 나오지 않을 확률을 기약분수로 나타내어라. (50점)

[문제 3] (105점)

다음 정적분의 값을 구하여라.

$$\int_{-\frac{\pi}{2}}^{\frac{\pi}{2}} |3\sqrt{2}\sin^3 x - \cos x|\, dx$$

[문제 4] (115점)

수열 $\{a_n\}$의 귀납적 정의가

$$a_1 = 5, \quad a_{n+1} = \frac{3}{4}a_n + \frac{2}{\sqrt{a_n}} \quad (n=1,\ 2,\ 3,\ \cdots)$$

일 때, 다음 부등식이 성립함을 보여라.

$$4 < a_n \leq \left(\frac{3}{4}\right)^{n-1} + 4 \quad (n=1,\ 2,\ 3,\ \cdots)$$

[문제 1]

삼각형 OAB, 삼각형 AOC, 사각형 ABOC의 넓이를 차례로 S_1, S_2, S_3이라 하자.

이 때 $S_1 = \dfrac{ab(a-b)}{2}$, $S_2 = \dfrac{a-a^2}{2}$, $S_3 = S_1 + S_2$이다.

(a) $S_1 = \dfrac{ab(a-b)}{2} = -\dfrac{a}{2}\left(b - \dfrac{a}{2}\right)^2 + \dfrac{a^3}{8}$ **이므로 S_1의 최댓값은 $\dfrac{a^3}{8}$ 이다.**

(b) $S_3 = S_1 + S_2$, $S_1 \leq \dfrac{a^3}{8}$, $S_2 = \dfrac{a-a^2}{2}$ **이므로 $S_3 \leq \dfrac{a^3}{8} + \dfrac{a-a^2}{2} = \dfrac{a^3 - 4a^2 + 4a}{8}$ 이다.**

$f(x) = \dfrac{x^3 - 4x^2 + 4x}{8}$ **라 하면** $f'(x) = \dfrac{3x^2 - 8x + 4}{8} = \dfrac{(3x-2)(x-2)}{8}$ **이다.**

x	(0)	$\cdots$	$\dfrac{2}{3}$	$\cdots$	(1)
$f'(x)$		$+$	0	$-$	
$f(x)$		$\nearrow$	$\dfrac{4}{27}$	$\searrow$	

그러므로 열린구간 $(0,\ 1)$에서 $f(x)$의 최댓값은 $\dfrac{4}{27}$ 이다. $S_3 \leq \dfrac{4}{27}$ 이고, $a = \dfrac{2}{3}$, $b = \dfrac{1}{3}$

일 때 $S_3 = \dfrac{4}{27}$ 이므로, S_3의 최댓값은 $\dfrac{4}{27}$ 이다.

[문제 2]

(a) 주사위를 한 번 던졌을 때, 3의 배수의 눈이 나올 확률은 $\dfrac{1}{3}$이며, 주사위를 여러 번 던졌을 때, 매번 3의 배수의 눈이 나오는 사건은 서로 독립이다. 3의 배수가 연속해서 나

오지 않는 확률은 다음과 같다.

(i) 3의 배수가 한 번도 나오지 않을 확률은 $\left(\frac{2}{3}\right)^6 = \frac{64}{729}$ 이다.

(ii) 3의 배수가 한 번 나올 확률은 $_6C_1 \times \frac{1}{3} \times \left(\frac{2}{3}\right)^5 = \frac{192}{729}$ 이다.

(iii) 3의 배수가 두 번 나오고, 3의 배수가 연속해서 나오지 않을 확률은 $_5C_2 \times \left(\frac{1}{3}\right)^2 \times \left(\frac{2}{3}\right)^4 = \frac{160}{729}$ 이다.

(iv) 3의 배수가 세 번 나오고, 3의 배수가 연속해서 나오지 않을 확률은 $_4C_3 \times \left(\frac{1}{3}\right)^3 \times \left(\frac{2}{3}\right)^3 = \frac{32}{729}$ 이다.

(i) ~ (iv)에 의해서 구하는 확률은

$$\frac{64+192+160+32}{729} = \frac{448}{729}$$

이다.

(b) 주사위를 6번 던졌을 때, 3의 배수의 눈이 연속해서 나오지 않는 사건을 A, 적어도 한 번은 2이하의 눈이 나오는 사건을 B라고 하자. $P(A) = P(A \cap B) + P(A \cap B^C)$이므로,

$$P(A|B) = \frac{P(A \cap B)}{P(B)} = \frac{P(A) - P(A \cap B^C)}{P(B)} = \frac{P(A) - P(B^C)P(A|B^C)}{P(B)}$$

이다. 또한,

$$P(B^C) = \left(\frac{2}{3}\right)^6 = \frac{64}{729}, \quad P(B) = 1 - \left(\frac{2}{3}\right)^6 = \frac{665}{729}$$

이다. $P(A|B^C)$는 나온 눈의 개수가 모두 3이상일 때, 3의 배수의 눈이 연속해서 나오지 않을 확률과 같다. 나온 눈의 개수가 모두 3이상일 때, 3의 배수의 눈이 나올 확률은 $\frac{1}{2}$ 이므로, (a)와 같은 방법으로

$$P(A|B^C) = \left(\frac{1}{2}\right)^6 + {}_6C_1 \times \left(\frac{1}{2}\right)^6 + {}_5C_2 \times \left(\frac{1}{2}\right)^6 + {}_4C_3 \times \left(\frac{1}{2}\right)^6 = \frac{21}{64}$$

이다. 따라서

$$P(A|B) = \frac{\frac{448}{729} - \frac{64}{729} \times \frac{21}{64}}{\frac{665}{729}} = \frac{427}{665} = \frac{61}{95}$$

이다.

[문제 3]

$f(x) = 3\sqrt{2}\sin^3 x - \cos x$라 하자. $-\frac{\pi}{2} \le x \le 0$일 때, $\sin x \le 0$, $\cos x \ge 0$이므로

$f(x) \leq 0$이다. 닫힌구간 $\left[0, \dfrac{\pi}{2}\right]$에서 함수 $g(x) = 3\sqrt{2}\sin^3 x$는 증가함수이고, 함수 $h(x) = \cos x$는 감소함수이다. $f(x) = g(x) - h(x)$는 연속인 증가 함수이고, $f(0) = -1 < 0$, $f\left(\dfrac{\pi}{2}\right) = 3\sqrt{2} > 0$이므로 사잇값 정리에 의해 방정식 $f(x) = 0$은 구간 $\left[0, \dfrac{\pi}{2}\right]$에서 유일한 해를 갖는다. 이 해를 a라 하자. $-\dfrac{\pi}{2} \leq x \leq a$이면 $f(x) \leq 0$이고 $a \leq x \leq \dfrac{\pi}{2}$이면 $f(x) \geq 0$이다. 또한

$$3\sqrt{2}\sin^3 a = \cos a,$$
$$18\sin^6 a = \cos^2 a = 1 - \sin^2 a,$$
$$18\sin^6 a + \sin^2 a - 1 = (3\sin^2 a - 1)(6\sin^4 a + 2\sin^2 a + 1) = 0$$

이므로 $3\sin^2 a = 1$, $\sin a = \dfrac{1}{\sqrt{3}}$이고 $\cos a = \sqrt{1 - \sin^2 a} = \dfrac{\sqrt{2}}{\sqrt{3}}$이다.

$$\sin^3 x = \sin^2 x \sin x = (1 - \cos^2 x)\sin x = \sin x - \cos^2 x \sin x$$

이므로

$$\int (3\sqrt{2}\sin^3 x - \cos x)dx = \int 3\sqrt{2}\sin x\, dx - \int 3\sqrt{2}\cos^2 x \sin x\, dx - \int \cos x\, dx$$

$$= -3\sqrt{2}\cos x + \sqrt{2}\cos^3 x - \sin x + C$$

이다. $F(x) = \sqrt{2}\cos^3 x - 3\sqrt{2}\cos x - \sin x$라 하자.

이때 $F'(x) = f(x)$이고 $F\left(-\dfrac{\pi}{2}\right) = 1$, $F\left(\dfrac{\pi}{2}\right) = -1$이며,

$$F(a) = \sqrt{2}\cos^3 a - 3\sqrt{2}\cos a - \sin a = \sqrt{2} \times \dfrac{2\sqrt{2}}{3\sqrt{3}} - 3\sqrt{2} \times \dfrac{\sqrt{2}}{\sqrt{3}} - \dfrac{1}{\sqrt{3}} = -\dfrac{17\sqrt{3}}{9}$$

이다. 따라서

$$\int_{-\frac{\pi}{2}}^{\frac{\pi}{2}} |3\sqrt{2}\sin^3 x - \cos x|\, dx = -\int_{-\frac{\pi}{2}}^{a} f(x)dx + \int_{a}^{\frac{\pi}{2}} f(x)dx$$

$$= -F(a) + F\left(-\dfrac{\pi}{2}\right) + F\left(\dfrac{\pi}{2}\right) - F(a)$$

$$= \dfrac{34\sqrt{3}}{9}$$

이다.

[문제 4]

$a_{n+1} - 4 = \dfrac{3}{4}(a_n - 4) + \dfrac{2}{\sqrt{a_n}} - 1$이다. 양수 a에 대하여

$$1 - \dfrac{2}{\sqrt{a}} = \dfrac{\sqrt{a} - 2}{\sqrt{a}} = \dfrac{(\sqrt{a} - 2)(\sqrt{a} + 2)}{\sqrt{a}(\sqrt{a} + 2)} = \dfrac{a - 4}{\sqrt{a}(\sqrt{a} + 2)}$$

이므로, $a > 4$일 때

$$0 < 1 - \frac{2}{\sqrt{a}} < \frac{a-4}{8}$$

이다. 따라서 $a > 4$일 때

$$(a-4)\left(\frac{3}{4} - \frac{1}{8}\right) = \frac{3}{4}(a-4) - \frac{1}{8}(a-4) < \frac{3}{4}(a-4) - \left(1 - \frac{2}{\sqrt{a}}\right) < \frac{3}{4}(a-4)$$

이므로

$$0 < \frac{3}{4}(a-4) + \frac{2}{\sqrt{a}} - 1 < \frac{3}{4}(a-4) \quad \cdots\cdots\cdots\cdots ①$$

이다.

모든 자연수 n에 대하여 $0 < a_n - 4 \leq \left(\frac{3}{4}\right)^{n-1}$ 이 성립함을 보이면 된다. 이를 수학적 귀납법을 이용해서 보이자.

$n = 1$일 때, $0 < 5 - 4 \leq \left(\frac{3}{4}\right)^0 = 1$이므로 성립한다.

$n = k$일 때, 성립한다고 가정하면

$$0 < a_k - 4 \leq \left(\frac{3}{4}\right)^{k-1} \quad \cdots\cdots\cdots\cdots ②$$

이므로 $a_k > 4$이다.

①, ②에 의해

$$0 < a_{k+1} - 4 = \frac{3}{4}(a_k - 4) + \frac{2}{\sqrt{a_k}} - 1 < \frac{3}{4}(a_k - 4) \leq \left(\frac{3}{4}\right)^k$$

이다. 따라서 $n = k+1$일 때도 성립하므로 모든 자연수 n에 대하여 $0 < a_n - 4 \leq \left(\frac{3}{4}\right)^{n-1}$ 이 성립한다.

7. 2022학년도 서울시립대 수시 논술 (자연 Ⅱ)

[문제 1] (85점)

어느 김밥집에서 파는 김밥의 종류는 4가지다. 이 김밥집에서 서울이와 시립이가 다음을 모두 만족시키도록 김밥을 사는 경우의 수를 구하여라. (단, 모든 종류의 김밥은 충분하다.)

(1) 서울이와 시립이는 각각 김밥 5줄을 산다.
(2) 서울이가 산 김밥의 종류와 시립이가 산 김밥의 종류는 겹치지 않는다.

[문제 2] (95점)

함수

$$f(x) = \begin{cases} x^3 - 2x + 11 & (x \leq -2) \\ \dfrac{5}{2}x - 2\cos\left(\dfrac{\pi}{3}x\right) + 11 & (x > -2) \end{cases}$$

의 역함수의 그래프와 직선 $y = \dfrac{1}{5}x - 1$의 모든 교점의 y좌표의 합을 a라 할 때, a의 정수 부분을 구하여라.

[문제 3] (105점)

자연수 n에 대하여 다음을 모두 만족시키는 두 자연수 k, m의 순서쌍 (k, m)의 개수를 a_n이라 하자. 이 때, $\displaystyle\sum_{n=1}^{p} a_n \leq 2022$를 만족시키는 자연수 p의 최댓값을 구하여라.

(1) $k^2 m^3 = 2^{9n}$
(2) $m \leq 8^n \leq m^2$

[문제 4] (총 115점)

다음 물음에 답하여라.

(a) 상수 a에 대하여 방정식 $x^3 - 6x^2 + a = 0$의 한 근이 t일 때, 나머지 두 근을 t에 대한 식으로 나타내어라. (25점)

(b) 좌표평면에서 직사각형 ABCD의 두 꼭짓점 A, D는 곡선 $y = -x^3 + 6x^2$에 있는 제 1 사분면의 점이고, 두 꼭짓점 B, C는 x축에 있다. 직사각형 ABCD의 넓이가 최대일 때, 변 AB의 길이를 구하여라. (90점)

[문제 1]

서울이가 산 김밥의 종류의 가짓수에 따라 다음과 같이 경우를 나누자.

(i) 서울이가 1종류의 김밥을 샀을 때, 김밥의 종류를 선택하는 경우의 수는 $_4C_1$이고, 선택한 1종류의 김밥에서 5줄을 사는 경우의 수는 1이다. 시립이가 나머지 3종류의 김밥에서 5줄을 사는 경우의 수는 $_3H_5$이다. 이러한 경우의 수는

$$_4C_1 \times 1 \times {_3H_5} = {_4C_1} \times 1 \times {_7C_5} = 84$$

이다.

(ii) 서울이가 2종류의 김밥을 샀을 때, 김밥의 종류를 선택하는 경우의 수는 $_4C_2$이고, 선택한 2종류의 김밥에서 5줄의 김밥을 사는 경우의 수는 $_2H_3$이다. 시립이가 나머지 2종류의 김밥에서 5줄을 사는 경우의 수는 $_2H_5$이다. 이러한 경우의 수는

$$_4C_2 \times {_2H_3} \times {_2H_5} = {_4C_2} \times {_4C_3} \times {_6C_5} = 144$$

이다.

(iii) 서울이가 3종류의 김밥을 샀을 때, 김밥의 종류를 선택하는 경우의 수는 $_4C_3$이고, 선택한 3종류의 김밥에서 5줄의 김밥을 사는 경우의 수는 $_3H_2$이다. 시립이가 나머지 1종류의 김밥에서 5줄을 사는 경우의 수는 1이다. 이러한 경우의 수는

$$_4C_3 \times _3H_2 \times 1 = _4C_3 \times _4C_2 \times 1 = 24$$

이다.

(ⅰ), (ⅱ), (ⅲ)에서 모든 경우의 수는 $84 + 144 + 24 = 252$이다.

[문제 2]

함수 $y = \dfrac{1}{5}x - 1$의 역함수는 $y = 5x + 5$이다. 그러므로 구하는 교점의 y좌표는 곡선 $y = f(x)$와 직선 $y = 5x + 5$의 교점의 x좌표와 같다.

(ⅰ) $x \leq -2$일 때

$x^3 - 2x + 11 = 5x + 5$를 정리하면 $(x-1)(x-2)(x+3) = 0$이다. 그러므로 $x \leq -2$일 때의 근은 -3뿐이다.

(ⅱ) $x > -2$일 때

$\dfrac{5}{2}x - 2\cos\left(\dfrac{\pi}{3}x\right) + 11 = 5x + 5$를 정리하면 $\dfrac{5}{2}x + 2\cos\left(\dfrac{\pi}{3}x\right) - 6 = 0$이다.

$h(x) = \dfrac{5}{2}x + 2\cos\left(\dfrac{\pi}{3}x\right) - 6$이라 하자. $h'(x) = \dfrac{5}{2} - \dfrac{2\pi}{3}\sin\left(\dfrac{\pi}{3}x\right) \geq \dfrac{5}{2} - \dfrac{2\pi}{3} = \dfrac{15 - 4\pi}{6} > 0$이므로 $h(x)$는 증가함수이다. 따라서 방정식 $h(x) = 0$의 근의 개수는 0 또는 1이다. $h(x)$는 연속함수이고, $h(3) = -\dfrac{1}{2} < 0$이고 $h(4) = 3 > 0$이므로, 사잇값 정리에 의해 주어진 방정식은 열린구간 $(3, 4)$에서 오직 1개의 근을 갖는다.

(ⅰ), (ⅱ)에 의해 a의 정수 부분은 0이다.

[문제 3]

조건 (1)에 의해서 자연수 k, m은 적당한 음이 아닌 두 정수 s, t에 대하여 $k = 2^s, m = 2^t$이다. 조건 (1)로부터 $2s = 9n - 3t$이므로, $0 \leq s \leq \dfrac{9n}{2}$이고

$$\dfrac{s}{3}는\ 음이\ 아닌\ 정수이다. \cdots\cdots\cdots ①$$

조건 (2)에서 $m^3 \leq 2^{9n} \leq m^6$이고, 이 부등식에 $m^3 = \dfrac{2^{9n}}{k^2}$와 $k = 2^s$를 대입하여 정리하면

$$0 \leq s \leq \dfrac{9n}{4} \cdots\cdots\cdots ②$$

이다.

①과 ②로부터 a_n은 닫힌구간 $\left[0, \dfrac{3n}{4}\right]$에 속하는 정수의 개수이다. 자연수 q에 대해서

(i) $n = 4q - 3$일 때, $a_n = 3q - 2$,

(ii) $n = 4q - 2$일 때, $a_n = 3q - 1$,

(iii) $n = 4q - 1$일 때, $a_n = 3q$,

(iv) $n = 4q$일 때, $a_n = 3q + 1$이다.

따라서 자연수 N에 대하여

$$\sum_{n=1}^{4N} a_n = \sum_{q=1}^{N} \left(a_{4q-3} + a_{4q-2} + a_{4q-1} + a_{4q}\right) = \sum_{q=1}^{N} (12q - 2) = 6N^2 + 4N$$

이다. $N = 18$일 때 $\displaystyle\sum_{n=1}^{72} a_n = 6 \times 18^2 + 4 \times 18 = 2016$이고, $\displaystyle\sum_{n=1}^{73} a_n = \sum_{n=1}^{72} a_n + a_{73} = 2071$이므로 $p = 72$이다.

[문제 4]

(a) t가 방정식 $x^3 - 6x^2 + a = 0$의 근이므로 $t^3 - 6t^2 + a = 0$, $a = 6t^2 - t^3$이다. 따라서

$$x^3 - 6x^2 + a = x^3 - 6x^2 + 6t^2 - t^3 = (x - t)\left\{x^2 - (6 - t)x + t^2 - 6t\right\} = 0$$

이므로 나머지 두 근은 $\dfrac{6 - t \pm \sqrt{(6-t)^2 - 4(t^2 - 6t)}}{2} = \dfrac{6 - t \pm \sqrt{-3t^2 + 12t + 36}}{2}$이다.

(b) $\mathrm{B}(x_1, 0)$, $\mathrm{C}(x_2, 0)$, $\overline{\mathrm{AB}} = a$라 하자. x_1, x_2는 방정식 $-x^3 + 6x^2 = a$의 해이다. 방정식 $-x^3 + 6x^2 = a$의 x_1, x_2가 아닌 다른 해를 t라 하자. $-2 < t < 0$이고 **(a)**에 의해

$$x_1 = \dfrac{6 - t - \sqrt{-3t^2 + 12t + 36}}{2}, \quad x_2 = \dfrac{6 - t + \sqrt{-3t^2 + 12t + 36}}{2}$$

이므로 직사각형 ABCD의 넓이는 $a(x_2 - x_1) = (-t^3 + 6t^2)\sqrt{-3t^2 + 12t + 36}$이다.

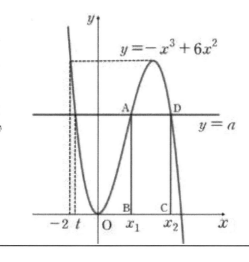

$$f(x) = \left(-x^3 + 6x^2\right)\sqrt{-3x^2 + 12x + 36}$$

$$g(x) = \ln|f(x)| = 2\ln|x| + \ln|x-6| + \frac{1}{2}\ln\left|3x^2 - 12x - 36\right|$$

라 하자.

$$g'(x) = \frac{f'(x)}{f(x)} = \frac{2}{x} + \frac{1}{x-6} + \frac{6x-12}{2(3x^2 - 12x - 36)} = \frac{4(x^2 - 2x - 6)}{x(x-6)(x+2)}$$

이고 방정식 $x^2 - 2x - 6 = 0$의 근 중에서 $-2 < x < 0$인 것은 $x = 1 - \sqrt{7}$이다.

x	(-2)	$\cdots$	$1 - \sqrt{7}$	$\cdots$	(0)
$f'(x)$		$+$	0	$-$	
$f(x)$		$\nearrow$	극대	$\searrow$	

따라서 $t = 1 - \sqrt{7}$에서 직사각형 ABCD는 최대 넓이를 갖고, 이때 변 AB의 길이는 $-(1-\sqrt{7})^3 + 6(1-\sqrt{7})^2 = 26 - 2\sqrt{7}$이다.

8. 2022학년도 서울시립대 모의 논술

[문제 1] (총 85점)

$0 < t < \frac{\pi}{2}$에 대하여 곡선 $y = -t^2 x^2 + 1$과 직선 $y = (2\tan t)x$ 및 y축의 양의 부분으로 둘러싸인 도형의 넓이를 $A(t)$라 하고, 곡선 $y = -t^2 x^2 + 1$과 직선 $y = (2\tan t)x$ 및 x축의 양의 부분으로 둘러싸인 도형의 넓이를 $B(t)$라 할 때, 다음 물음에 답하여라.

(a) 곡선 $y = -t^2 x^2 + 1$과 직선 $y = (2\tan t)x$의 교점 중 제 1사분면에 있는 점의 x좌표를 $p(t)$라 할 때, 극한값 $\lim_{t \to 0+} t\,p(t)$를 구하여라. (35점)

(b) 극한값 $\lim_{t \to 0+} \dfrac{A(t)}{B(t)}$를 구하여라. (50점)

[문제 2] (95점)

자연수 n에 대하여

$$f(x) = 4(\log_2 n)\cos x + 4(\log_4 n)^2 - 12, \qquad g(x) = \begin{cases} 4\sin^2 x & (|x| \le 2n\pi) \\ -17 & (|x| > 2n\pi) \end{cases}$$

라 하자. 두 함수 $y = f(x)$와 $y = g(x)$의 그래프의 교점의 개수를 a_n이라 할 때, $\displaystyle\sum_{k=1}^{2022} a_k$의 값을 구하여라.

[문제 3] (총 105점)

아래와 같이 화살표 8개가 처음 4개는 위($\uparrow$)로 향하고, 나머지 4개는 아래($\downarrow$)로 향하도록 놓여있다.

$$\uparrow \ \uparrow \ \uparrow \ \uparrow \ \downarrow \ \downarrow \ \downarrow \ \downarrow$$

위와 같이 놓여있는 8개의 화살표 중 2개를 임의로 선택하여 화살표의 방향을 반대로 바꾼 후, 이 8개의 화살표 중 다시 2개를 임의로 선택하여 방향을 반대로 바꾸는 시행을 하였다. 이 시행을 마쳤을 때, 위로 향하는 화살표가 4개인 사건을 A, 마지막 2개의 화살표가 위로 향하는 사건을 B라고 하자. 다음 물음에 답하여라.

(a) 확률 $\mathrm{P}(A)$를 구하여라. (50점)
(b) 조건부 확률 $\mathrm{P}(B|A)$를 구하여라. (55점)

[문제 4] (115점)
자연수 n에 대하여 다음 부등식이 성립함을 보여라.
$$e^2 \le \left(1+\frac{1}{n}\right)^{2n+1}$$

[문제 1]

(a) $p(t) > 0$이고 $-t^2(p(t))^2 + 1 = (2\tan t)p(t)$이므로 $p(t) = \dfrac{-\tan t + \sqrt{\tan^2 t + t^2}}{t^2}$이다.

따라서

$$\lim_{t \to 0+} tp(t) = \lim_{t \to 0+} \frac{-\tan t + \sqrt{\tan^2 t + t^2}}{t} = \lim_{t \to 0+} \left(-\frac{\tan t}{t} + \sqrt{\frac{\tan^2 t}{t^2} + 1}\right) = \sqrt{2} - 1$$

이다.

(b) $A(t) + B(t) = \displaystyle\int_0^{\frac{1}{t}} (-t^2 x^2 + 1)dx = \dfrac{2}{3t}$**이므로**

$$A(t) = \frac{2}{3t} - B(t)$$

이고,

$$B(t) = \int_0^{p(t)} (2\tan t)x\,dx + \int_{p(t)}^{\frac{1}{t}} (-t^2 x^2 + 1)dx = (p(t))^2 \tan t + \frac{t^2(p(t))^3}{3} - p(t) + \frac{2}{3t}$$

이다. 따라서 $t > 0$**일 때,**

$$\frac{A(t)}{B(t)} = \frac{\dfrac{2}{3t}}{(p(t))^2 \tan t + \dfrac{t^2(p(t))^3}{3} - p(t) + \dfrac{2}{3t}} - 1 = \frac{2}{3(tp(t))^2 \dfrac{\tan t}{t} + (tp(t))^3 - 3tp(t) + 2} - 1$$

이고 $\displaystyle\lim_{t \to 0+} tp(t) = \sqrt{2} - 1$, $\displaystyle\lim_{t \to 0+} \frac{\tan t}{t} = 1$**이므로**

$$\lim_{t \to 0+} \frac{A(t)}{B(t)} = \frac{2}{3(\sqrt{2}-1)^2 \cdot 1 + (\sqrt{2}-1)^3 - 3(\sqrt{2}-1) + 2} - 1 = \frac{8\sqrt{2}-3}{17}$$

이다.

[문제 2]

자연수 n에 대해서 $\log_2 n \geq 0$이므로

$$f(x) \geq 4(\log_2 n)(-1) + (\log_2 n)^2 - 12 = (\log_2 n - 2)^2 - 16 > -17$$

이다. 따라서 $|x| > 2n\pi$에서 두 함수 $y = f(x)$와 $y = g(x)$의 그래프는 만나지 않고, $|x| \leq 2n\pi$에서 방정식 $f(x) = g(x)$를 정리하면

$$\left(\cos x + 2 + \frac{\log_2 n}{2}\right)\left(\cos x - 2 + \frac{\log_2 n}{2}\right) = 0$$

이다. 자연수 n에 대하여 $-2 - \frac{1}{2}\log_2 n \leq -2$이고 $-1 \leq \cos x \leq 1$이므로,

$$\cos x = 2 - \frac{1}{2}\log_2 n$$

이다. 위 방정식은 $4 \leq n \leq 64$일 때에만 해를 가지므로, $1 \leq n \leq 3$ 또는 $n \geq 65$이면 $a_n = 0$이고 $4 \leq n \leq 64$이면 a_n은 다음과 같다.

(i) $n = 4$일 때, $|x| \leq 8\pi$에서 방정식 $\cos x = 1$의 해의 개수는 9이므로, $a_4 = 9$이다.

(ii) $5 \leq n \leq 63$일 때, $|x| \leq 2n\pi$에서 방정식 $\cos x = 2 - \frac{1}{2}\log_2 n$의 해의 개수는 $4n$이므로, $a_n = 4n$이다.

(iii) $n = 64$일 때, $|x| \leq 128\pi$에서 방정식 $\cos x = -1$의 해의 개수는 128이므로, $a_{64} = 128$이다.

그러므로

$$\sum_{k=1}^{2022} a_k = 9 + \sum_{k=5}^{63} 4k + 128 = 8161$$

이다.

[문제 3]

(a) 첫 번째로 2개의 화살표를 선택하여 방향을 바꾼 후에 8개의 화살표 중 위로 향하는 화살표의 개수를 X_1이라 하고, 시행을 마친 후에 8개의 화살표 중 위로 향하는 화살표의 개수를 X_2라 하자. 그러면 A는 $X_2 = 4$인 사건이다. 사건 A가 일어났을 때, X_1이 가질 수 있는 값은 2, 4, 6이다. 따라서

$$P(A) = P(X_2 = 4) = \sum_{k=1}^{3} P(X_1 = 2k)P(X_2 = 4 | X_1 = 2k)$$

이다. 또한

$$P(X_1 = 2) = P(X_1 = 6) = \frac{{}_4C_2}{{}_8C_2} = \frac{3}{14}$$

$$P(X_1 = 4) = \frac{{}_4C_1 \times {}_4C_1}{{}_8C_2} = \frac{8}{14}$$

이며

$$P(X_2 = 4 | X_1 = 2) = P(X_2 = 4 | X_1 = 6) = \frac{{}_6C_2}{{}_8C_2} = \frac{15}{28}$$

$$P(X_2 = 4 | X_1 = 4) = \frac{{}_4C_1 \times {}_4C_1}{{}_8C_2} = \frac{16}{28}$$

이다. 따라서

$$P(A) = \frac{3}{14}\frac{15}{28} + \frac{8}{14}\frac{16}{28} + \frac{3}{14}\frac{15}{28} = \frac{109}{196}$$

이다.

(b) 사건 $A \cap B$가 일어나기 위해서는 7, 8번째 화살표가 각각 단 한 번씩 선택되어야 하며 1~4번째 화살표 중 두 개가 선택되어야 한다. 첫 번째 선택에서 7, 8번째 화살표가 선택되어 사건 $A \cap B$가 일어나는 경우의 수는 ${}_4C_2$이다. 마찬가지로 두 번째 선택에서 7, 8번째 화살표가 선택되어 사건 $A \cap B$가 일어나는 경우의 수는 ${}_4C_2$이다. 그리고 첫 번째 선택에서 7번째 화살표가 선택되고, 두 번째 선택에서 8번째 화살표가 선택되어 사건 $A \cap B$가 일어나는 경우의 수는 ${}_4C_1 \times {}_3C_1$이고 그 반대의 경우의 수도 ${}_4C_1 \times {}_3C_1$이다. 따라서

$$P(A \cap B) = \frac{2 \times {}_4C_2 + 2 \times {}_4C_1 \times {}_3C_1}{{}_8C_2 \times {}_8C_2} = \frac{9}{196}$$

이고 **(a)**에서 $P(A) = \dfrac{109}{196}$이므로 $P(B|A) = \dfrac{P(A \cap B)}{P(A)} = \dfrac{9}{109}$이다.

[문제 4]

로그함수가 구간 $(0, \infty)$에서 증가함수이므로 자연수 n에 대하여 $2 \leq (2n+1)\ln\left(1 + \dfrac{1}{n}\right)$가 성립함을 보이면 충분하다. 구간 $(0, \infty)$에서 함수

$$f(x) = (2x+1)\ln\left(1 + \frac{1}{x}\right)$$

라 하자. 그러면

$$\lim_{x \to \infty} f(x) = \lim_{x \to \infty}(2x+1)\ln\left(1+\frac{1}{x}\right) = \lim_{x \to \infty} 2\ln\left(1+\frac{1}{x}\right)^x + \lim_{x \to \infty}\ln\left(1+\frac{1}{x}\right) = 2$$

이다. 구간 $(0, \infty)$에서 함수 $f(x)$는 미분가능하고

$$f'(x) = 2\ln\left(1 + \frac{1}{x}\right) - \frac{2x+1}{x^2 + x}$$

이므로 $\lim_{x \to \infty} f'(x) = 0$이다.

구간 $(0, \infty)$에서 $f''(x) = \dfrac{1}{(x^2 + x)^2} > 0$이므로 $f'(x)$는 증가함수이다. 따라서 구간 $(0, \infty)$에서 $f'(x) \leq \lim_{t \to \infty} f'(t) = 0$이므로 $f(x)$는 감소함수이다. 그러므로 자연수 n에 대하여

$$f(n) \geq \lim_{x \to \infty} f(x) = 2$$

이다.

9. 2021학년도 서울시립대 수시 논술 (자연 Ⅰ)

[문제 1] (85점)

동전 5개가 앞면이 2개, 뒷면이 3개가 보이도록 놓여있다. 이 동전 5개 중에서 임의로 하나를 선택하여 뒤집는 시행을 한다. 이 시행을 반복하여 보이는 동전이 모두 같은 면이 되면 멈춘다. 멈출 때까지의 총 시행 횟수를 확률변수 X라 하고, X가 4이하인 사건을 A라 하자. 첫 시행에서 앞면이 보이는 동전을 선택하는 사건을 B라 할 때, $\mathrm{P}(B|A)$를 구하여라.

[문제 2] (95점)

다음을 모두 만족시키는 다항식 $f(x)$를 구하여라.

(1) $f(0) = 0$

(2) 상수 $0 < a < 1$에 대하여 $\displaystyle\int_{1-a}^{1+a} \dfrac{\cos a - \cos 1 \cos x}{\sin^2 x} dx = 2\sin f(a)$이다.

[문제 3] (총 105점)

한 변의 길이가 $3 + 2\sqrt{2}$인 정사각형 ABCD와 그 내부에 원 C_1, 원 C_2, 직사각형 EBFG가 다음을 모두 만족시키도록 놓여있다.

(1) C_1은 두 변 AB, AD와 각각 한 점에서만 만난다.

(2) C_2는 중심이 C_1밖에 있고 C_1, 변 BC, 변 CD와 각각 한 점에서만 만난다.

(3) 점 E는 변 AB에 있고, 점 F는 변 BC에 있다.

(4) 직사각형 EBFG는 C_1, C_2와 각각 한 점에서만 만난다.

(5) $\overline{BF} < \overline{EB}$

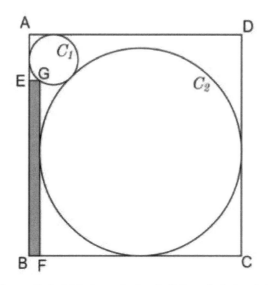

변 BF의 길이를 x라 하고 직사각형 EBFG의 넓이를 $f(x)$라 하자.

(a) 함수 $f(x)$를 구하여라. (65점)

(b) 함수 $f(x)$가 미분가능함을 보여라. (40점)

[문제 4] (115점)

자연수 n에 대하여 다음을 모두 만족시키는 세 자연수 a, b, c의 순서쌍 (a, b, c)의 개수를 구하여라.

(1) $1 \le a < b < c \le 6n$

(2) $a + c = 2b$

(3) $\sin\left(\dfrac{\pi a}{6n}\right) < \sin\left(\dfrac{\pi b}{6n}\right) < \sin\left(\dfrac{\pi c}{6n}\right)$

[문제 1]

5개의 동전 중 임의로 하나를 선택하여 뒤집는 시행에서, 앞면이 보이는 동전을 선택하는 사건을 H, 뒷면이 보이는 동전을 선택하는 사건을 T로 나타내자. 이 시행을 반복하여 동전이 모두 같은 면이 되면 멈추기로 할 때, 매 시행에서 어떤 동전이 선택되었는지를 연속된 H와 T로 나타내기로 하자. 사건 A는 다음과 같다.

$$A = \{HH, \ TTT, \ HTHH, \ THHH\}$$

사건 A를 구성하는 각 사건들의 확률은 아래와 같다.

$$P(X=2) = \frac{2}{5} \times \frac{1}{5} = \frac{2}{25}$$

$$P(X=3) = \frac{3}{5} \times \frac{2}{5} \times \frac{1}{5} = \frac{6}{125}$$

$$P(X=4) = \frac{2}{5} \times \frac{4}{5} \times \frac{2}{5} \times \frac{1}{5} + \frac{3}{5} \times \frac{3}{5} \times \frac{2}{5} \times \frac{1}{5} = \frac{34}{625}$$

확률의 덧셈정리에 의해,

$$P(A) = P(X=2) + P(X=3) + P(X=4) = \frac{114}{625}$$

이다. 사건 B는 첫 시행에서 앞면이 보이는 동전을 선택하는 사건이므로,

$$A \cap B = \{HH, \ HTH\}$$

이며, 이 사건이 발생할 확률은

$$P(A \cap B) = \frac{2}{5} \times \frac{1}{5} + \frac{2}{5} \times \frac{4}{5} \times \frac{2}{5} \times \frac{1}{5} = \frac{66}{625}$$

이다. 따라서

$$P(B|A) = \frac{P(A \cap B)}{P(A)} = \frac{11}{19}$$

이다.

[문제 2]

$$\int_{1-a}^{1+a} \frac{\cos a - \cos 1 \cos x}{\sin^2 x} dx$$

$$= \cos a \int_{1-a}^{1+a} \frac{1}{\sin^2 x} dx - \cos 1 \int_{1-a}^{1+a} \frac{\cos x}{\sin^2 x} dx$$

$$= \cos a [-\cot x]_{1-a}^{1+a} - \cos 1 \left[-\frac{1}{\sin x} \right]_{1-a}^{1+a}$$

$$= -\cos a \{ \cot(1+a) - \cot(1-a) \} - \cos 1 \left\{ \frac{1}{\sin(1-a)} - \frac{1}{\sin(1+a)} \right\}$$

이다. 삼각함수의 덧셈정리를 이용해 계산하면

$$-\cos a \{ \cot(1+a) - \cot(1-a) \} - \cos 1 \left\{ \frac{1}{\sin(1-a)} - \frac{1}{\sin(1+a)} \right\}$$

$$= -\cos a \left\{ \frac{\cos(1+a)}{\sin(1+a)} - \frac{\cos(1-a)}{\sin(1-a)} \right\} - \cos 1 \left\{ \frac{1}{\sin(1-a)} - \frac{1}{\sin(1+a)} \right\}$$

$$= \frac{\cos 1 - \cos a \cos(1+a)}{\sin(1+a)} - \frac{\cos 1 - \cos a \cos(1-a)}{\sin(1-a)}$$

$$= \frac{\cos 1 - \cos a (\cos 1 \cos a - \sin 1 \sin a)}{\sin(1+a)} - \frac{\cos 1 - \cos a (\cos 1 \cos a + \sin 1 \sin a)}{\sin(1-a)}$$

$$= \frac{\cos 1 (1 - \cos^2 a) + \cos a \sin 1 \sin a}{\sin(1+a)} - \frac{\cos 1 (1 - \cos^2 a) - \cos a \sin 1 \sin a}{\sin(1-a)}$$

$$= \frac{\cos 1 \sin^2 a + \cos a \sin 1 \sin a}{\sin(1+a)} - \frac{\cos 1 \sin^2 a - \cos a \sin 1 \sin a}{\sin(1-a)}$$

$$= \frac{\sin a(\cos 1 \sin a + \cos a \sin 1)}{\cos 1 \sin a + \cos a \sin 1} - \frac{\sin a(\cos 1 \sin a - \cos a \sin 1)}{\sin 1 \cos a - \cos 1 \sin a}$$

$$= 2 \sin a$$

이다. 즉

$$\int_{1-a}^{1+a} \frac{\cos a - \cos 1 \cos x}{\sin^2 x} dx = 2 \sin a = 2 \sin f(a)$$

이고 $f(x)$는 $f(0) = 0$인 다항식이므로 $f(x) = x$이다.

[문제 3]

$d = 3 + 2\sqrt{2}$ 라 하자.

(a) C_1과 C_2의 반지름을 각각 y, z라 하자. $\overline{AC} = \sqrt{2}y + y + z + \sqrt{2}z = \sqrt{2}d$이므로 $y + z = 2 + \sqrt{2}$이다. $\overline{BF} + \overline{FC} = \overline{BC}$이므로 $x + 2z = d$이고 $z = \dfrac{d-x}{2}$이다. 따라서 $y = 2 + \sqrt{2} - z = \dfrac{1+x}{2}$이다.

(i) $x < y$일 경우

$y = \dfrac{1+x}{2}$이므로 $x < 1$이다. C_1의 중심을 지나고 $\overline{AD}$와 평행한 직선과 점 G사이의 거리를 w라고 하면

$$w = \sqrt{y^2 - (y-x)^2} = \sqrt{\left(\frac{1+x}{2}\right)^2 - \left(\frac{1-x}{2}\right)^2} = \sqrt{x}$$

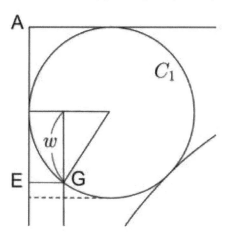

이다. $\overline{EB} = d - y - w = d - \dfrac{1+x}{2} - \sqrt{x}$이므로 $0 < x < 1$이고

$$f(x) = \overline{BF} \cdot \overline{EB} = x \left(d - \frac{1+x}{2} - \sqrt{x} \right)$$

이다.

(ii) $x \geq y$일 경우

$y = \dfrac{1+x}{2}$이므로 $x \geq 1$이다. 또한 $\overline{\text{EG}}$가 C_1에 접하므로 $\overline{\text{EB}} = d - 2y = d - 1 - x$이다.

조건 (5)로부터 $x < d - 1 - x$이므로 $x < 1 + \sqrt{2}$이다.

따라서 $1 \leq x < 1 + \sqrt{2}$이고 $f(x) = \overline{\text{BF}} \cdot \overline{\text{EB}} = x(d-1-x)$이다.

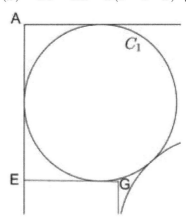

(ⅰ)과 (ⅱ)에 의해

$$f(x) = \begin{cases} x\left(3 + 2\sqrt{2} - \dfrac{1+x}{2} - \sqrt{x}\right) & (0 < x < 1) \\ x(2 + 2\sqrt{2} - x) & (1 \leq x < 1 + \sqrt{2}) \end{cases}$$

이다.

(b) $0 < x < 1$과 $1 < x < 1 + \sqrt{2}$에서 $f(x)$는 미분가능한 함수의 합과 곱으로 정의되었으므로 각 구간에서 미분가능하다. $x = 1$에서의 미분가능성을 확인하자.

$$\lim_{h \to 0-} \frac{f(1+h) - f(1)}{h} = \lim_{h \to 0-} \frac{(1+h)\left\{3 + 2\sqrt{2} - \dfrac{1+(1+h)}{2} - \sqrt{1+h}\right\} - (1 + 2\sqrt{2})}{h} = 2\sqrt{2}$$

$$\lim_{h \to 0+} \frac{f(1+h) - f(1)}{h} = \lim_{h \to 0+} \frac{(1+h)\{2 + 2\sqrt{2} - (1+h)\} - (1 + 2\sqrt{2})}{h} = 2\sqrt{2}$$

이다. 따라서 $f(x)$는 $x = 1$에서 미분가능하고, $f(x)$는 $0 < x < 1 + \sqrt{2}$에서 미분가능하다.

[문제 4]

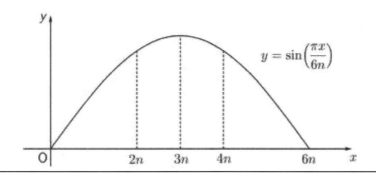

$f(x) = \sin\left(\dfrac{\pi x}{6n}\right)$라 하자. 함수 $y = f(x)$의 그래프는 위와 같다.

a, b, c는 서로 다른 자연수이므로 $2 \le b \le 6n - 1$이다.

(i) $2 \le b \le 2n$일 경우

a는 자연수이므로 조건 (2)에 의해 $c < 4n$이다. 따라서 함수 $y = f(x)$의 그래프에 의해서 $f(a) < f(b) < f(c)$을 만족시킨다. b에 대하여 a를 1부터 $b - 1$까지 선택할 수 있으므로 세 자연수 a, b, c의 순서쌍 (a, b, c)의 개수는 $b - 1$이다.

(ii) $2n < b < 3n$일 경우

$y = f(x)$는 $x = 3n$에 대해서 대칭이므로 $f(b) < f(c)$를 만족시키기 위해서는 $b < c < 6n - b$이어야 한다. 또한 c가 $b < c < 6n - b$인 경우 a는 1과 b사이에 존재하고 $f(a) < f(b)$이다. b에 대하여 c는 $b + 1$부터 $6n - b - 1$까지 선택할 수 있으므로 세 자연수 a, b, c의 순서쌍 (a, b, c)의 개수는 $6n - 2b - 1$이다.

(iii) $3n \le b \le 6n - 1$일 경우

함수 $y = f(x)$의 그래프로부터 $f(b) > f(c)$이므로 주어진 조건을 만족시키는 순서쌍 (a, b, c)가 존재하지 않는다.

(i), (ii), (iii)에 의해서 주어진 조건을 모두 만족시키는 세 자연수 a, b, c의 순서쌍 (a, b, c)의 개수는

$$\sum_{b=2}^{2n}(b-1) + \sum_{b=2n+1}^{3n-1}(6n-2b-1) = 3n^2 - 3n + 1$$

이다.

10. 2021학년도 서울시립대 수시 논술 (자연 Ⅱ)

[문제 1] (85점)

$f(x) = x^4 + 2ax^3 - 3a^2x^2 + 4a^4 - 4a^3 + 1 \ (a > 0)$이다. 곡선 $y = f(x)$가 점 $(1, 1)$을 지나는 직선과 서로 다른 두 점에서 접할 때, 이 직선과 곡선 $y = f(x)$로 둘러싸인 도형의 넓이를 구하라.

[문제 2] (95점)

자연수 $n(n \ge 9)$에 대하여 n이하의 자연수 전체의 집합을 A_n이라 하자. 다음을 모두 만족시키는 함수 $f : A_n \rightarrow \{0, 1, 2\}$의 개수를 구하여라.

> (1) 집합 $\{k | f(k) = 0, \ k \in A_n\}$의 원소의 개수는 3이다.
>
> (2) 집합 $\{k | f(k) = 1, \ k \in A_n\}$의 원소의 개수는 3이다.
>
> (3) n이하의 모든 자연수 k에 대하여 $\displaystyle\sum_{i=1}^{k} f(i) \ge k$이다.

[문제 3] (총 105점)

다음 물음에 답하여라.

(a) 미분가능한 함수 $f(x)$에 대하여, 곡선 $y=f(x)$의 점 P와 이 곡선에 있지 않은 점 Q가 다음을 만족시킬 때, 곡선 $y=f(x)$의 점 P에서의 접선과 직선 PQ가 수직임을 보여라. (55점)

> 곡선 $y=f(x)$의 모든 점 X에 대하여 $\overline{PQ} \leq \overline{XQ}$이다.

(b) 곡선 $y=x^2$에서 움직이는 점 P와 곡선 $y=-(x-6)^2$에서 움직이는 점 Q에 대하여 $\overline{PQ}$의 최솟값을 구하여라. (50점)

[문제 4] (115점)

함수 $y=f(x)(x \geq 1)$가 다음을 만족시킨다.

> 모든 자연수 m에 대하여 $64^{m-1} \leq x < 64^m$이면 $f(x)=8^m$이다.

자연수 k에 대하여 함수 $y=\dfrac{1}{k^3}x^2$의 그래프와 함수 $y=f(x)$의 그래프의 교점의 개수를 a_k라 하자. $n=2^{300}$일 때, $\displaystyle\sum_{k=1}^{n} a_k$를 구하여라.

[문제 1]

점 $(1,1)$을 지나며 기울기가 m인 직선의 방정식은 $y=m(x-1)+1$이다. 곡선 $y=f(x)$와 직선 $y=m(x-1)+1$이 서로 다른 두 점에서 접할 때, 이 두 점의 x좌표를 각각 α, β (단, $\alpha < \beta$)라 하면,

$$(x-\alpha)^2(x-\beta)^2 = x^4+2ax^3-3a^2x^2+4a^4-4a^3+1-\{m(x-1)+1\}$$

이다. x^3, x^2, x의 계수와 상수항을 비교하면

$$-2(\alpha+\beta)=2a, \quad \alpha^2+4\alpha\beta+\beta^2=-3a^2, \quad -2\alpha\beta(\alpha+\beta)=-m, \quad \alpha^2\beta^2=4a^4-4a^3+m$$

이므로 $m=4a^3$이고 $\alpha=-2a$, $\beta=a$이다. 직선 $y=4a^3(x-1)+1$와 곡선 $y=f(x)$로 둘러싸인 도형의 넓이는

$$\int_{-2a}^{a} \{(x^4+2ax^3-3a^2x^2+4a^4-4a^3+1)-(4a^3x-4a^3+1)\}dx$$

$$= \left[\frac{1}{5}x^5+\frac{1}{2}ax^4-a^2x^3-2a^3x^2+4a^4x\right]_{-2a}^{a} = \frac{81}{10}a^5$$

이다

[문제 2]

(ⅰ) $f(n-2)=f(n-1)=f(n)=1$일 경우를 생각하자. 그러면 조건 (1)과 (2)를 모두 만족시키지만 조건 (3)을 만족시키지 않는 함수의 개수는 다음과 같다.

- $f(1)=0$의 경우 함수의 개수는 $_{n-4}\mathrm{C}_2$이다.
- $f(1)=2$, $f(2)=0$, $f(3)=0$의 경우 함수의 개수는 $_{n-6}\mathrm{C}_1$이다.
- $f(1)=2$, $f(2)=0$, $f(3)=2$, $f(4)=0$, $f(5)=0$의 경우 함수의 개수는 1이다.
- $f(1)=2$, $f(2)=2$, $f(3)=0$, $f(4)=0$, $f(5)=0$의 경우 함수의 개수는 1이다.

따라서 이 경우에 문제의 조건을 모두 만족시키는 함수의 개수는 조건 (1)과 (2)를 모두 만족시키는 함수의 개수에서 위 네 가지 경우에 해당하는 함수의 개수를 뺀 것과 같다. 즉

$$_{n-3}\mathrm{C}_3-\left(_{n-4}\mathrm{C}_2+_{n-6}\mathrm{C}_1+1+1\right)=\frac{(n-3)(n-4)(n-8)}{6}$$

이다.

(ii) 일반적으로 $1\le a<b<c\le n$인 a, b, c에서 $f(a)=f(b)=f(c)=1$일 경우는 a, b, c의 선택이 조건 (3)의 부등식의 성립여부에 영향을 주지 않는다. 따라서 주어진 조건을 모두 만족시키는 함수의 개수도 $\dfrac{(n-3)(n-4)(n-8)}{6}$이다.

따라서 문제의 조건을 모두 만족시키는 함수의 개수는

$$_{n}\mathrm{C}_3\times\frac{(n-3)(n-4)(n-8)}{6}=\frac{n(n-1)(n-2)(n-3)(n-4)(n-8)}{36}$$

이다.

[문제 3]

(a) 곡선 $y=f(x)$의 점 P의 좌표를 $(p,\ f(p))$라 하고, 점 $Q(a,\ b)$라 하자. 곡선 $y=f(x)$의 모든 점 $X(x,\ f(x))$에 대하여 $\overline{PQ}\le\overline{XQ}$이다.

함수 $g(x)=\overline{XQ}^2=(x-a)^2+(f(x)-b)^2$는 미분가능한 함수이고, 최솟값은 $g(p)=\overline{PQ}^2$이다. 따라서

$$g'(p)=2(p-a)+2(f(p)-b)f'(p)=0$$

이다.

$p\ne a$이면 $\dfrac{f(p)-b}{p-a}\cdot f'(p)=-1$이고, 곡선 $y=f(x)$의 점 P에서의 접선과 직선 PQ가 수직이다.

$p=a$이면 직선 PQ는 y축과 평행하고, 점 $Q(a,\ b)$가 곡선 $y=f(x)$에 있지 않으므로 $f(p)\ne b$이다.

따라서 $f'(p)=0$이므로 곡선 $y=f(x)$의 점 P에서의 접선은 x축과 평행하므로, 곡선 $y=f(x)$의 점 P에서의 접선과 직선 PQ가 수직이다.

(b) $\overline{PQ}$가 최소일 때 곡선 $y=x^2$의 점을 $A(a,\ a^2)$, 곡선 $y=-(x-6)^2$의 점을 $B(b,-(b-6)^2)$이라 하자. 그러면 (a)에 의해 다음을 모두 만족시킨다.

① 곡선 $y=x^2$의 점 A에서의 접선 l_1과 곡선 $y=-(x-6)^2$의 점 B에서의 접선 l_2가 서로 평행하다.

② 두 점 A, B를 지나는 직선은 두 접선 l_1, l_2와 동시에 수직이다.

조건 ①로부터 $a=-b+6$이다. $a=b$이면 $a=b=3$이고 조건 ②를 만족시키지 않으므로 $a \neq b$이다. 그러면 조건 ②로부터

$$\frac{a^2+(b-6)^2}{a-b} \cdot 2a=-1, \quad \frac{a^2+(b-6)^2}{a-b} \cdot \{-2(b-6)\}=-1$$

이다.

$$2a^3+a-3=(a-1)(2a^2+2a+3)=0$$

이므로, $a=1$이고 $b=5$이다. 따라서 $\overline{AB}=2\sqrt{5}$이므로 최솟값은 $2\sqrt{5}$이다.

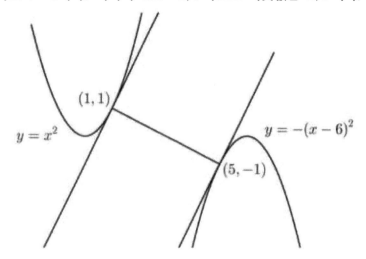

[문제 4]

자연수 m에 대하여 $64^{m-1} \leq x < 64^m$에서 포물선 $y=\dfrac{1}{k^3}x^2$와 직선 $y=8^m$의 교점의 개수는 0 혹은 1이다. 교점의 개수가 1일 필요충분조건은 $\dfrac{64^{2m-2}}{k^3} \leq 8^m < \dfrac{64^{2m}}{k^3}$이다. 즉

$$2^{3m-4} \leq k < 2^{3m}\left(1 \leq k \leq 2^{300}\right) \quad \cdots\cdots\cdots ①$$

이다. $\displaystyle\sum_{k=1}^{2^{330}} a_k$는 ①을 만족시키는 자연수의 순서쌍 (k, m)의 개수와 같다. 따라서 각 m에 대하여 b_m을 ①을 만족시키는 k의 개수라 하면

$$b_m = n\left(\left\{k | 1 \leq k \leq 2^{300}, \, 2^{3m-4} \leq k < 2^{3m}\right\}\right) = \begin{cases} 7 & (m=1) \\ 2^{3m}-2^{3m-4} & (2 \leq m \leq 100) \\ 2^{300}-2^{299}+1 & (m=101) \\ 0 & (m>101) \end{cases}$$

이므로

$$\sum_{k=1}^{2^{300}} a_k = \sum_{m=1}^{101} b_m = 7 + \sum_{m=2}^{100} \left(2^{3m} - 2^{3m-4}\right) + 2^{300} - 2^{299} + 1 = \frac{11 \cdot 2^{300} - 4}{7}$$

이다.

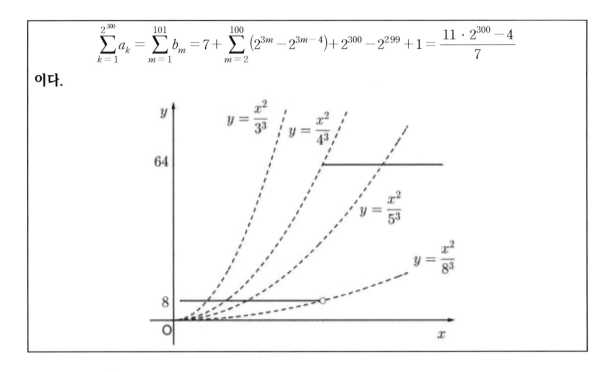

11. 2021학년도 서울시립대 모의 논술

[문제 1] (85점)

포물선 $y = x^2$의 서로 다른 두 점 A와 B에 대하여 점 A에서의 접선과 점 B에서의 접선의 교점을 점 C라 하자. 포물선 $y = x^2$과 선분 AB로 둘러싸인 도형의 넓이가 60일 때, 삼각형 ABC의 넓이를 구하여라.

[문제 2] (95점)

다음 정적분의 값을 구하여라.

$$\int_{1}^{2} \frac{3x^4 + 4x^3\ln x - 4x^3 - 8x^2\ln x + 3x^2 + 8x\ln x + 4x + 4}{x^2 - 2x + 2} dx$$

[문제 3]
(105점)

아래의 그림과 같은 도로망에서 A 또는 B에서 출발하여 출발점을 포함한 각 교차로에서 다음 규칙을 따라 이동한다.

(1) 동전을 던져 앞면이 나오면 위로(↑), 뒷면이 나오면 오른쪽(→)으로 각각 한 칸 이동한다.
(2) 위로 이동할 수 없는 경우에는 오른쪽으로 이동하고, 오른쪽으로 이동할 수 없는 경우에는 위로 이동한다.
(3) C 또는 D에 도착하면 이동을 멈춘다.

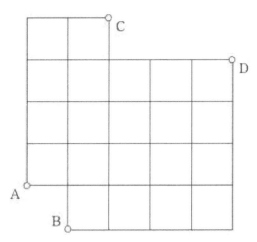

(a) B에서 출발하였을 때, D에 도착할 확률을 구하여라. (45점)

(b) 시립이는 동전을 던져 앞면이 나오면 A에서 출발하고, 뒷면이 나오면 B에서 출발한다. 시립이가 C에 도착했을 때, 시립이가 A에서 출발하였을 확률을 구하여라. (60점)

[문제 4] (115점)

좌표평면에서 x좌표와 y좌표가 모두 정수인 점을 격자점이라 하자. 자연수 k에 대하여, 아래 함수의 그래프로 둘러싸인 영역의 둘레와 내부에 있는 격자점의 개수를 a_k라 할 때, $\sum\limits_{k=1}^{n} a_k$을 구하여라.

$$y = -2|x| + 3 \cdot 4^k, \qquad y = \begin{cases} \dfrac{x^2}{4^k} & (x \geq 0) \\ 2^k\sqrt{-x} & (x < 0) \end{cases}$$

[문제 1]

포물선 $y = x^2$의 점 $A(a, a^2)$, $B(b, b^2)$에서의 접선의 방정식은 차례로 $y = 2ax - a^2$, $y = 2bx - b^2$이고, 두 접선의 교점 C는 $C\left(\dfrac{a+b}{2}, ab\right)$이며 직선 AB의 방정식은 $y = (a+b)x - ab$이다. $b > a$라 하자. 이때 포물선 $y = x^2$과 선분 AB로 둘러싸인 도형의 넓이는

$$\int_a^b \{(a+b)x - ab - x^2\}dx = \left[\frac{a+b}{2}x^2 - abx - \frac{x^3}{3}\right]_a^b = \frac{(b-a)^3}{6} = 60$$

이므로 $(b-a)^3 = 360$이다.

또 직선 AB의 방정식은 $y - (a+b)x + ab = 0$이고 점 $C\left(\dfrac{a+b}{2}, ab\right)$와 직선 $y - (a+b)x + ab = 0$ 사이의 거리 d는

$$d = \frac{\left| ab - \frac{(a+b)^2}{2} + ab \right|}{\sqrt{1^2 + (a+b)^2}} = \frac{(b-a)^2}{2\sqrt{1^2 + (a+b)^2}}$$

이며,

$$\overline{AB} = \sqrt{(b-a)^2 + (b^2 - a^2)^2} = (b-a)\sqrt{1^2 + (b+a)^2}$$

이므로

$$\triangle ABC = \frac{\overline{AB} \times d}{2} = \frac{(b-a)^3}{4} = \frac{360}{4} = 90$$

이다.

[문제 2]

$$\frac{3x^4 + 4x^3 \ln x - 4x^3 - 8x^2 \ln x + 3x^2 + 8x \ln x + 4x + 4}{x^2 - 2x + 2} = \frac{3x^4 - 4x^3 + 3x^2 + 4x + 4}{x^2 - 2x + 2} + 4x \ln x$$

이고

$$\frac{3x^4 - 4x^3 + 3x^2 + 4x + 4}{x^2 - 2x + 2} = 3x^2 + 2x + 1 + \frac{2x-2}{x^2 - 2x + 2} + \frac{4}{x^2 - 2x + 2}$$

이다. 한편,

$$\int_1^2 \left(3x^2 + 2x + 1 + \frac{2x-2}{x^2 - 2x + 2} \right) dx = \left[x^3 + x^2 + x + \ln|x^2 - 2x + 2| \right]_1^2 = 11 + \ln 2$$

이고,

$$\int_1^2 \frac{4}{x^2 - 2x + 2} dx = 4 \int_1^2 \frac{1}{(x-1)^2 + 1} dx = 4 \int_0^1 \frac{1}{x^2 + 1} dx$$

$$= 4 \int_0^{\frac{\pi}{4}} \frac{\sec^2 \theta}{\tan^2 \theta + 1} d\theta = 4 \int_0^{\frac{\pi}{4}} 1 \, d\theta = \pi$$

이며

$$\int_1^2 4x \ln x \, dx = \left[2x^2 \ln x \right]_1^2 - \int_1^2 2x \, dx = 8 \ln 2 - 3$$

이다. 따라서

$$\int_1^2 \frac{3x^4 + 4x^3 \ln x - 4x^3 - 8x^2 \ln x + 3x^2 + 8x \ln x + 4x + 4}{x^2 - 2x + 2} dx = 8 + \pi + 9 \ln 2$$

이다.

[문제 3]

(a) B에서 출발하였을 때, D에 도착할 확률을 p_{BD}라 하고, C에 도착할 확률을 p_{BC}라 하자. 그러면 $p_{BD} = 1 - p_{BC}$이다.

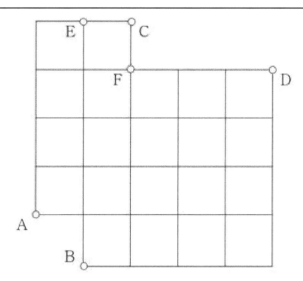

B를 출발하여, C에 도착하기 위해서는 위 그림의 E나 F를 지나야 한다. B → E → C 의 경우는 E에 도달한 후, 반드시 C에 도착한다. 이러한 사건이 발생할 확률은 $\frac{1}{2^5}$이다. 또한, B → F → C의 경우는 F에 도달한 후, 동전의 앞면이 나와야 한다. 이러한 사건이 발생할 확률은 $\frac{5}{2^5} \times \frac{1}{2}$이다. 따라서

$$p_{BC} = \frac{1}{2^5} + \frac{5}{2^6} = \frac{7}{64}, \quad p_{BD} = 1 - p_{BC} = \frac{57}{64}$$

이다.

(b) A를 출발하였을 때, C에 도착할 확률을 p_{AC}라 하자. A를 출발하였을 때, C에 도착하기 위해서는 위 그림의 E나 F를 지나야 한다. A를 출발하였을 때, E에 도착할 확률은 (a)번 문제와 같은 방법으로 계산하면 $\frac{1}{2^4} + \frac{4}{2^5}$이다. E에 도착한 후에는 반드시 C에 도착하므로, A → E → C의 경우가 발생할 확률은 $\frac{6}{32}$다. 또한, A → F → C의 경우는 F에 도달한 후, 동전의 앞면이 나와야 한다. A를 출발했을 때, F에 도달할 확률은 $_5C_2 \frac{1}{2^5}$이므로, A → F → C의 경우가 발생할 확률은 $_5C_2 \frac{1}{2^6} = \frac{10}{64}$이다. 따라서 $p_{AC} = \frac{6}{32} + \frac{10}{64} = \frac{22}{64}$이다. 또한, 문제 (a)의 풀이에서, $p_{BC} = \frac{7}{64}$이다.

A, B에서 출발했을 확률이 각각 $\frac{1}{2}$이므로 C에 도착했을 확률 p_C는 다음과 같다.

$$p_C = \frac{1}{2}p_{AC} + \frac{1}{2}p_{BC} = \frac{29}{128}$$

C에 도착했을 때, A에서 출발했을 확률은 $\frac{1}{2} \cdot \frac{p_{AC}}{p_C}$이므로, 구하는 확률은 $\frac{22}{29}$이다.

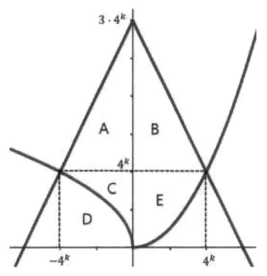

주어진 함수의 그래프는 그림과 같으므로 그래프로 둘러싸인 영역은 오른쪽 그림에서 $A \cup B \cup C \cup E$로 이루어진 영역과 같다. 그런데 $y = 2^k\sqrt{-x}$ $(x < 0)$는 $y = \dfrac{x^2}{4^k}$ $(x > 0)$의 역함수 $y = 2^k\sqrt{x}$ $(x > 0)$의 y축 대칭이므로, E 내부에 있는 격자점의 개수와 D 내부에 있는 격자점의 개수는 같다.

따라서 영역 $A \cup B \cup C \cup D$ (단, D의 왼쪽 경계와 아래 경계를 제외한 나머지 경계와 점 $(-4^k, 4^k)$를 포함)에 있는 격자점의 개수를 b_k라 하고, 함수 $y = \dfrac{x^2}{4^k}$ $(0 \le x < 4^k)$의 그래프에 있는 격자점의 개수를 c_k라 하면

$$a_k = b_k + c_k$$

이다. b_k를 점 $(-4^k, 4^k)$와 영역 $A \cup C \cup D$ (D의 왼쪽 경계와 아래 경계를 제외한 나머지 경계는 포함)와 영역 B (B의 왼쪽 경계를 제외한 나머지 경계 포함)에 있는 점들로 나누어서 생각하면

$$b_k = 1 + \sum_{i=0}^{4^k-1}(3 \cdot 4^k - 2i) + \sum_{i=0}^{4^k}(2 \cdot 4^k - 2i + 1) = 3 \cdot 16^k + 4^k + 1$$

이다. c_k는 $0 \le x \le 4^k$인 정수 중에서 2^k로 나누어떨어지는 정수의 개수와 같다. 즉 c_k는 집합 $\{0 \le x \le 2^k \mid x \text{는 정수}\}$의 원소의 개수이다. 따라서 $c_k = 2^k$이고

$$a_k = 3 \cdot 16^k + 4^k + 2^k + 1$$

이며

$$\sum_{k=1}^{n} a_k = \sum_{k=1}^{n}(3 \cdot 16^k + 4^k + 2^k + 1) = \frac{1}{5} \cdot 16^{n+1} + \frac{1}{3} \cdot 4^{n+1} + 2^{n+1} + n - \frac{98}{15}$$

이다.